J'ai treize ans
et je vais me tuer

Othilie Bailly

J'ai treize ans et je vais me tuer

Cette édition de *J'ai treize ans et je vais me tuer*
est publiée par les Éditions de la Seine
avec l'aimable autorisation des Éditions du Rocher
© Éditions du Rocher, 1996

Pour mes amis de Provence,
maître Yvon Chariaud,
docteurs Andrée
et Albert Rekassa.

1

Sur le Cours Mirabeau le soleil étire ses derniers rayons. Une voix, par haut-parleur, distribue des prix aux artisans provençaux, qui, pendant trois jours, viennent de tenir marché de céramiques, de fleurs séchées, de tissus joyeux en couleurs et en dessins ; de toutes choses que l'on aime toucher parce qu'elles ont été faites avec tendresse humaine par la main même de l'homme.

Ce ne sont pas les lais de la gaie science que René, roi de Provence, préférait aux batailles, mais ce sont les couleurs de Cézanne et la joyeuseté, la douceur de la vie sous les platanes qui sont en pleine feuille, les rires des étudiants : Aix, ville d'université.

Saint-Sauveur égrène les six coups de l'heure, ou est-ce la Grande Horloge, se demande Agnès.

Elle se tient bien droite devant la statue du roi que les Aixois, cinq siècles après son règne, continuent à appeler affectueusement « le Bon Roi ». Il contemple sa ville blonde, toute gaie de rires et de jeunesse. Toute en ombre par sa sorcellerie. Combien de sataniques furent livrés au feu sur la place des Prêcheurs, qui y ont laissé leur parfum de soufre...

Dans sa calme promenade, Agnès passe devant *Les Deux Garçons,* le café qui affiche fièrement sa date de naissance — 1792 —, et elle rit parce que des touristes égarés dans ce hors du temps regardent, ébahis, un couple de pigeons perchés sur leur guéridon, qui, sans vergogne, picorent les pois chiches servis, avec le « casa », le pastis local.

Agnès, dans sa robe bleue qu'elle déteste, mais à l'Institution les jeans sont interdits. Ses cheveux blonds retenus par un « chouchou », qu'elle vient d'acheter cinq francs sur le marché.

À la terrasse, à côté des touristes ignorés, des jeunes bavardent. Devant eux de sages cafés. Une fille de dix-sept, dix-huit ans, vient s'asseoir à leur table en riant. Avec quatre ans de plus — quatre ans c'est si peu — Agnès serait cette fille.

L'enfant quitte le cours, se dirige, par la rue des Prêcheurs, vers la place où Sade fut brûlé en effigie et s'arrête parmi tous ceux qui sont là, tête levée, regardant.

Le rougeoiement du soleil fait de braise, le fil tendu au travers de la rue, du toit d'une maison à un autre, le camouflant de sa pourpre. Et le funambule qui y glisse, danseur du vide, dans la grâce de son balancement, irréel, va, à pas nonchalants dans cet absolu.

Le funambule, j'étais lui. Entre le ciel et la terre, plus tout à fait vivante. J'étais heureuse. À côté de moi il y avait une fille de ma classe. Heureusement elle ne m'a pas vue, ou a fait semblant. Je ne peux pas la sentir et elle le sait. Elle tenait sa mère par la main et elle trépignait — à treize ans ! — en disant « Partons, j'ai peur ! Il va se casser la figure… » La sotte ! s'il avait basculé, ç'aurait été de sa faute à elle. Mais il était hors de tout, là où rien ne pouvait l'atteindre. Moi, j'étais Lui, Il a fait un léger mouvement, un faux faux pas, et je me suis sentie tomber, non, pas « tomber », plutôt comme si je nageais dans l'air.

Mais il était toujours là, suspendu à son balancier, et moi je me suis retrouvée sur terre. Alors je l'ai quitté et je suis rentrée à la maison.

Maman n'est pas encore arrivée. Elle m'avait dit

*qu'elle irait chez le coiffeur... et papa heureuse-
ment n'est pas là. Le mercredi il a toujours des
clients très tard, dans son cabinet.*

*C'est pour ça que j'ai traîné dans les rues. Elle va
être belle, maman, ce soir, encore plus belle que
d'habitude.*

*Elle ignore que je tiens mon journal. Je ne lui ai
jamais dit. C'est mon « moi » à moi toute seule. Un
jour elle le trouvera dans mes affaires et elle saura
que je l'aime, elle le sait, mais encore plus... et elle
comprendra pourquoi je l'ai quittée et elle ne m'en
voudra plus.*

*Je suis seule dans l'appartement. J'adore ! Il est si
calme, si tendre quand il n'y a personne d'autre
que moi. Je vais aller dans toutes les pièces. Je
caresserai les murs et les meubles. C'est une chose
que je fais souvent comme pour en prendre possession. Ou leur dire adieu.*

*J'ai des amies qui habitent des maisons
modernes. « C'est pratique, mais ça n'a pas
d'âme », dit maman. C'est vrai. Ici, la maison
date du XVIIᵉ siècle. Quand je rentre, je regarde
toujours la plaque à côté de la porte « Ancien
Hôtel de Galicie ». J'habite l'hôtel de Galicie et
ma rue c'est la Via Aurélia...*

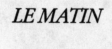

LE MATIN

2

Mais avant le soir de ce jour-là, il y eut le matin.

Agnès est devant le miroir qui la lui montre. Sa robe bleu-sage, ses cheveux épars sur ses épaules. Derrière elle, encore elle. Mais plus grande, les cheveux blonds cadrant son visage, les yeux pers qui virent du vert au gris. Si pareilles la mère et la fille. Elles se sourient dans le miroir.

— Je ne peux pas t'accompagner au cours, dit la voix, derrière Agnès, désolée comme par des larmes retenues. Mireille est en retard, et bien sûr elle a oublié ses clefs, ici. Je suis obligée de l'attendre pour lui ouvrir.

Un soupir résigné qui s'adresse — ou paraît-il s'adresser ? — à l'absente : provençale potelée et rieuse, mais dont les quarante ans ont gardé l'étourderie de sa jeunesse : servante. Un mot humiliant. Un beau mot qui vient de servir : rendre service.

Agnès se retourne vers ce double dont elle arrive à l'épaule.

— Tu sais, maman, à treize ans je peux aller en classe toute seule.

Elles se regardent, semblables toutes les deux de pensées aussi ; elles n'ont pas besoin de les exprimer puisque ce sont les mêmes.

L'Institution. La plus élégante d'Aix. La mieux fréquentée. Elle est tenue par des femmes qui, si elles n'ont pas fait vœux dans un couvent ont pourtant le maintien réservé, la voix feutrée et l'exigeante modestie des religieuses. Cette humilité orgueilleuse exige de leurs élèves, et de leurs parents, les « bonnes manières » d'un autrefois qui est toujours leur présent. Ne sont reçues ici que les enfants des grandes familles aixoises : gens de robe pour la plupart dans cette ville de la Justice. Si proche est son palais de la place où fut brûlée l'effigie de Sade. Et les mères qui n'ont rien d'autre à faire accompagnent, jusqu'à la porte du cours, leurs filles, comme elles-mêmes au même âge étaient escortées jusqu'à ce seuil par leur mère, ou mieux, une gouvernante ; il y en avait encore à l'époque.

Jamais une fille de commerçant, si important fût-il, n'a franchi la porte étroite qui donne accès à ce lieu privilégié.

Agnès et sa mère. Leurs yeux, à toutes deux, sont gris ce matin.

D'une voix indifférente, Agnès :

— Je n'ai pas vu papa.

Et, sur le même ton, sa mère répond :

— Non. Il est parti avant que tu sois réveillée. Il avait un rendez-vous important à Marseille.

Marseille, la ville, rude gaillarde, sœur aînée d'Aix, à trois quarts d'heure, en voiture, de celle-ci.

Elle a jeté ses bras autour du cou de l'autre, a posé une seconde sa tête sur son épaule, « maman », et court, s'enfuit vers la rue, havre de paix et de joie avant d'arriver à l'école.

— Chérie, tu as oublié un cahier...

Une vive rougeur sur ses joues, elle prend précipitamment le cahier, l'enferme dans la serviette de cuir. Les sacs à dos ne sont pas admis, pas plus que les jeans, à l'Institution.

— N'oublie pas que nous déjeunons chez bonne-maman aujourd'hui. Je tâcherai de venir te chercher, mais si je ne suis pas à la sortie, ne m'attends pas, viens directement.

Les rues sont claires et vides. Agnès leur sourit. Elle les aime d'être gaies du soleil matinal.

Avec soudainement l'animation d'un marché qui expose ses fleurs et ses fruits sur la place des Prêcheurs. Quelques ménagères, peu encore, y choisissent leur menu du jour. Il sent bon ce marché en plein air, bon les tomates, les melons, le basilic qu'ici, en Provence, on appelle balicou. Et sa rumeur légère, faite de mots de marché : « Ah ma salade, ma salade... qu'elle est belle ma salade, elle diminue... Hé petiote, tu as vu mon poisson, frais de ce matin !... Ma caille, viens voir... Ah peuchère ! des melons comme ça, ce n'est pas souvent que... » C'est comme un air populaire à l'orgue de Barbarie.

Les sons s'estompent derrière Agnès. De nouveau le calme du jeune matin, des rues paisibles.

Au coin d'une, sur le sol, un panier. Un panier comme ceux que l'on prend pour transporter une petite bête. Insolite. À cette heure, dans cet endroit.

Agnès va vers lui. En soulève le couvercle. Un chat en rond y dort. Un chat roux qui dort pour toujours. Doucement, tendrement, Agnès caresse le pelage doux et froid.

Une femme, venant en sens inverse, se dirigeant sans doute vers le marché, s'arrête, curieuse...

18

Ce panier abandonné, cette enfant qui, penchée, y entre la main comme pour voler quelque chose.

Agnès répond à la question qui n'a pas été formulée.

— C'est un chat, madame. Il est mort.

La dame s'est rejetée vivement en arrière.

— Quelle horreur !

Doucement, Agnès referme le panier où repose le chat roux dans sa mort.

— Mais non, madame, ce n'est pas une horreur. Il est très beau. Il est seulement mort. Ça n'a pas une grande importance.

— Mademoiselle, puis-je rester en classe ? Je voudrais revoir une leçon.

Un sourire léger de bienveillance. Agnès est bien notée ; travailleuse, calme, polie, et son père une des plus anciennes familles de robe de la ville.

— Si vous préférez cela à la récréation, mon enfant...

— Oui, mademoiselle, merci.

Agnès, dans cette pièce austère conçue pour l'étude. Seule encore. Elle regarde sa montre. Vingt minutes de cette solitude. Feuillette le cahier oublié, si maman... le cahier de ses souve-

19

nirs. Pareil à un quelconque autre. Une apparence. Elle y a écrit Elle, au lieu d'une épopée de l'Histoire de France ou de A + B = ...

Feuillette ses souvenirs. Ils commencent sur cette première page... un an. C'était le trente et un mai. On est le trente et un mai de l'année suivante.

Les feuilletons roses de la télé me font bien rire avec leurs belles histoires d'amour. Il n'y a qu'à voir papa et maman. Un vrai conte de fées. Maman pleure tous les soirs et on ne peut pas dire que c'est de joie ! Je me fais aussi petite que je peux. Jusqu'à aujourd'hui, tant que j'étais là, papa n'osait pas trop. Il attendait que je sois allée me coucher. Et je tardais. C'était trop injuste ce qu'il lui disait, ce que tous les soirs j'entendais de ma chambre. Il criait tellement fort, tellement dur. Il aurait fallu que je sois sourde pour ne pas l'entendre. Alors, que je sois là ou pas, qu'est-ce que ça pouvait lui faire ?

Mais ce soir... ses yeux, sa bouche, jamais je ne les avais vus aussi méchants. Les paroles n'auraient pas pu en dire plus. Il m'a ordonné : « Va dans ta chambre, Agnès. » Je l'ai regardé bien en face et j'ai dit « non ». Je voulais protéger maman. Alors il s'est tu et c'est lui qui est parti.

J'ai treize ans et je vais me tuer

*Maman m'a dit : « Va te coucher, mon petit chéri.
Ce n'est rien. Demain, tout sera oublié. » Oui,
demain sera un autre jour... où j'ai lu ça ? En tout
cas depuis... oui, ça doit bien faire deux ans, plus
peut-être... « l'autre jour » tarde à arriver !*

Agnès suit des yeux, sans la voir, une mouche
qui volette. De la cour montent les rires de la
récréation. En récré on doit rire, comme en cours
d'histoire on doit apprendre les règnes des rois
et leurs guerres. C'est à cause de ces rires obli-
gatoires qu'elle est restée ici.

Elle se tranquillise dans la solitude de la classe,
son ordre exigé par les professeurs. Ici, aucun
dessin, aucune gravure sur les murs ne vient
distraire de l'étude. Devant Agnès, la forteresse
des livres de classe. Si « Mademoiselle » — n'importe laquelle — entrait, elle ne pourrait qu'être
satisfaite de cette élève studieuse. Une enfant
comme on les aime, tranquille, sans mauvaises
pensées. Les mauvaises pensées étant celles que
l'on ne doit pas avoir, donc tout autres qu'inspi-
rées par un problème, une date de l'Histoire de
France, ou le chef-lieu d'un département. Il n'y a
malheureusement plus — ou presque — de colo-
nies d'outre-mer. Pondichéry, Chandernagor et
Alger appartiennent au passé de ces Demoiselles

21

qui regrettent de ne pas pouvoir s'en faire souvenir leurs élèves : noms de leur imaginaire, per-
mettant une honnête rêverie orientale puisqu'il
s'agissait de la France.

Le Bic, comme une mouche posée sur le blanc
de la page.

Les pensées comme des mouches dans l'esprit
d'Agnès ; voletant, se posant sur un instant :
l'École.

Elle fait partie de sa vie puisqu'elle est censée,
au travers des siècles et des sciences, y apprendre
la vie.

Demeure solide dont l'architecte est le temps
— l'Institution ne craint pas de s'intituler « Jeanne
de France » — autrefois couvent que la révolution avait transformé en grenier à blé. Il datait
de cette époque glorieuse où, justement nommé
Cauchon, un évêque fit brûler cette pucelle énigmatique porteuse du glaive, de la croix et du lys,
et ayant pour lieutenant Gilles de Rais, le plus
féal des compagnons qui, avatar incongru, ignoré
sûrement de Jeanne de France (l'Institution)
devint ce Barbe Bleue amoureux des voix d'enfants l'escortant en orchestre de chœur (de
cœur ?) partout où il se rendait. Il aimait les
enfants au point de les tuer : 150 ou 30, selon les

historiens. Il périt dans les flammes comme Jeanne, mais les siennes furent de l'enfer.

Tout cela se passait en Bretagne et n'a rien à voir avec Aix, qui vivait alors joyeuse. Chrétienne depuis peu de siècles somme toute, la chrétienté lui ayant été apportée seulement en 870 par Guillaume de Provence. Longtemps, auparavant, elle avait été Aquae Sextiœ, la cité où venaient prendre les eaux les plus grands du monde latin.

Cela, Agnès le sait, aimant tout ce qui se rapporte à sa ville.

Le couvent avait-il été thermes, au temps des César ou temple, comme Saint-Sauveur ? Qu'importe ! Les messes qui, depuis, furent dites sur ces restes du paganisme les ont sûrement purifiés. Elle aime se rendre dans la chapelle privée qui fut celle des carmélites, y allumer un cierge en excuse, afin de contempler une colonne brisée restée là comme un souvenir d'Aquae Sextiœ. Ce qui est bien vu (le cierge) par ces Demoiselles. Aujourd'hui, hélas, un prêtre ne vient plus ici que rarement, pour célébrer quelque grande fête. L'époque est plus aux ayatollahs qu'au clergé catholique.

Ces réflexions, à la portée de tous, ne sont pas celles d'Agnès, minuscule chose dans l'Éternité, mais unique — avec raison — pour Elle.

Sa pensée s'est posée sur une barbe, celle de son père, qui la laisse pousser.

Pourquoi ? Pour faire « vir » ? Il n'en a guère besoin. Plus macho que lui... une barbe, à force d'être noire presque bleue, comme celle du sire des contes de Perrault. Cela ressort bien sur le blanc du rabat ! Je deviens, non, il m'a fait devenir méchante.

J'ai été si heureuse... j'aimais tellement papa, j'avais tellement confiance en lui. Papa, maman et moi c'était comme la Sainte Trinité : indissociable. Autrefois, il y a très longtemps...

Et cette directrice idiote qui, lorsque je la rencontre, me « tapote » (un de leurs mots ! Ce qu'elles peuvent être démodées) la joue en me demandant des nouvelles de maître...

Maître, c'est papa.

Je ne veux pas être la fille de maître. Je veux être Moi.

MOI pour...

Agnès s'arrête d'écrire. Dans la cour les rires se sont arrêtés. Posément elle referme le cahier, le remplace par un autre, et termine un problème de maths quand les élèves rentrent en classe.

3

Bonne-maman au regard tout doux, aux joues presque pas ridées, aux cheveux gris, mais à la voix dure et aux doigts rêches des mains qui travaillent.

— Hé ! petiote, comme te voilà belle ! Et tu as encore grandi depuis la dernière fois que je t'ai vue. C'est vrai que ça fait un bout de temps. Ta maman est déjà là, dans la cuisine, je l'ai mise à surveiller mon fricot.

Elle serre fort sa petite-fille, la repousse un peu, tout en la gardant dans ses bras, pour mieux la voir.

— Une vraie demoiselle ! Et en robe, pas en jean...

Il y a de la moquerie tendre dans les yeux attentifs. Aussi, une pincée d'admiration, et une d'exaspération. Les épices de la voix sont dosées comme celles de...

— ... la bourride. C'est moi qui l'ai faite. Tu aimes, hein !

Et le mot de l'enfance, défendu parce que trop peuple, « mémé » ! Agnès s'est blottie contre la maman de ma maman, « je t'aime presque autant qu'elle ». Elle précise « presque ». Et frotte sa joue contre le sarrau qui sent savoureusement l'ail et l'huile d'olive.

— Et une vraie rouille comme on la faisait autrefois, avec le corail des oursins. Pas cette espèce d'aïoli qu'ils servent dans les Grands Restaurants — Elle fait rouler les R pour moquer leur Magnificence — et qu'ils ont le culot d'appeler « rouille ».

Dans la cuisine, une voix chantonne.

— Si ta mère chante au-dessus, elle va me la faire tourner, malheureuse ! Elle sait pourtant !

« Ce devait être comme ça quand maman n'était pas mariée. Je n'étais pas née. » Une constatation : maman sans Agnès.

Dans la pénombre, rideaux baissés, les quelques tables s'alignent, nettes. Une seule est mise. Pour trois. C'est mardi, le jour de fermeture. Le faux crépuscule alanguit la pièce redevenue familiale pour quelques heures et qui, demain, sera rendue aux bruits, aux voix allègres des habitués. Le bar, sur le côté, ses bouteilles bien alignées par-derrière mais aucun verre sur le comptoir.

— C'est toi Agnès ? Alors je sers.

Une voix qui n'est pas celle que maman a à la maison qui n'est « plus ». Que reconnaît Agnès comme un souvenir de sa petite enfance, retrouvée dans ce lieu de la jeunesse de sa mère ; une voix gourmande, « sensuelle » dirait un homme.

Chassé-croisé entre les deux femmes. L'une apportant la marmite, une vraie en terre, ancienne — combien y ont vu bouillonner la bourride ou la soupe de poissons —, l'autre allant chercher la rouille dont le nom est la couleur, et les croûtons dorés qui l'accompagnent depuis que pain, bourride et rouille existent.

Agnès, son nez plissé de gourmande.

— Oh ! que ça sent bon...

Toute sa vie s'en réjouit.

Et s'en réjouissent les trois : mère, fille qui est mère, et fille. Toutes trois ont les mêmes yeux verts.

Agnès va pour dire, se tait sur les mots maladroits : « Pourquoi on ne fait jamais de bourride à la maison ? »

27

Mireille avait fait la bourride. Comme mémé — dans mon journal je peux mettre mémé. Bonne-maman ! C'est d'un ridicule ! D'abord, sauf pour maman et moi, elle n'est pas si bonne que ça... — À l'Institut les filles disent « granny » ou « mammy »... la tête de bonne-maman si je l'appelais ainsi, avec juste ce qu'il faut de l'accent que nous donne notre prof d'anglais.

Papa a fixé des yeux le grand pot de terre : « Depuis quand met-on les casseroles sur la table ? » J'ai vu leur regard à maman et à Mireille et il m'a donné envie de pleurer. J'ai murmuré, mais personne ne m'a entendue : « Ce n'est pas une casserole, c'est... ».

Il s'est penché. La fumée faisait un brouillard autour de son visage. Je le voyais quand même et j'ai eu peur. C'est la deuxième fois que j'ai peur de papa. « Une soupe de poissons... On sait pourtant que j'ai horreur de ça ! »

Mireille s'est rebiffée. « Ce n'est pas une soupe, c'est la bourride, et — vexée — elle est aussi bonne que celle de la grand-mère. »

Papa s'est levé. Il était blanc de rage, et puis rouge de colère.

— Et je suppose qu'il n'y a rien d'autre...

Maman a dit, si bas que je l'entendais à peine :

— J'ai cru te faire plaisir. Tu l'aimais autre-

28

fois. — Elle s'est reprise très vite : — Mireille va te faire un steak.

Il a ri, méchant, oh ! tellement méchant... jamais je n'aurais cru que papa...

— C'est ça, et je le mangerai dans l'odeur du poisson.

Il s'est levé, a jeté sa serviette sur la table.

— Puisqu'on n'est pas capable, chez Moi, de me faire un déjeuner convenable, je vais au restaurant.

À la porte, il s'est retourné, comme Columbo dans les films, et maman, Mireille et moi, on avait l'air des coupables.

— Un restaurant normal, pas...

Je n'ai pas entendu la fin de sa phrase, mais je l'ai bien devinée.

Cela, Agnès l'a écrit dans les premières pages de son cahier ; elle s'en souvient et son rire se casse.

Les trois autour de la table, comme pour un bénédicité d'autrefois. Tout à la saveur de leur gourmandise.

Un hiatus dans ce jour qu'Agnès vit intensément : une vie entière s'y déroule, avec sa naissance et sa mort, résumée en ces quelques heures.

Elle voudrait l'emporter, cet instant, pour toujours : la journée. Mais elle sait que c'est impossible.

Agnès s'est raidie sur sa chaise. Tout, en elle, est
tendu. La cuillère dans sa main, entre l'assiette et
la bouche. Immobile. Et puis, lentement, sa main
reprend le geste vers sa bouche qu'envahissent
les odeurs multiples de la bourride. C'est à elle
que sa grand-mère s'adresse :

— Pitchounette... ça ne se dit plus ces mots de
mon enfance...

Elle se tourne, triomphante, vers sa fille :

— En tout cas, pas dans votre beau milieu !

Voilà. C'est toujours par une phrase comme
celle-là que commence le mauvais. Et la bourride,
trop chaude dans la bouche d'Agnès, la brûle.

Il faut qu'elle dise quelque chose avant que la
boue des mots n'éclabousse ce bref bonheur.

Les mots injustes-injures que ne peuvent par-
donner ni celle qui les lance, ni celle qui les reçoit.
Bien que celle-ci sache qu'ils ne s'adressent pas à
elle mais, à travers elle, à l'ennemi : le gendre.
L'homme qui lui a pris Mariette. La mère ne peut
même pas dire « volé », c'est officiellement, par le
maire et le curé, qu'il l'a fait passer dans le clan
ennemi. Eux ne vous détestent pas ; pire, ils vous
ignorent. Et on ne le sait pas tant que quelque
chose, un traité, un mariage, ne vous l'a pas fait

remarquer. Oh ! pas directement, on n'en est même pas digne, mais comme si on regardait indiscrètement à travers un volet et qu'on voit des choses invisibles jusque-là. Et on sait que le volet ne sera jamais ouvert et que ceux qui sont der- rière vous reprochent l'indiscrétion de votre regard.

Cette colère rancunière, remâchée, rabâchée il faut qu'elle s'exprime. Par le moyen d'un biais, toujours.

— Tu ne sais pas qui j'ai revu ? Le Jeannot ! Ton amoureux d'autrefois. Amoureux de toi, il l'était drôlement ! Tu sais qu'il n'a pas pris femme...

Les yeux de mémé se voilent d'un rêve irréalisé.

— Il est devenu contremaître, et beau garçon avec ça. Ah ! c'est lui que tu aurais dû épouser.

La mère-fille baisse la voix comme si cela était suffisant pour que sa fille à elle, la petite-fille de sa mère, ne l'entende pas.

— Maman...

« Bonne »-maman hausse les épaules :

— Et alors, je peux bien dire que tu avais un amoureux avant de te marier. Ça n'a rien de mal.

Et regarde du coin de l'œil sa petite-fille :

— Bellotte comme elle est, elle en aura vite un... si ce n'est déjà fait ! Hein, ma poulette...

Agnès, dans la pénombre qui refuse la pièce au soleil.

Toute à Elle. En même temps, en elle et hors d'elle.

En elle, pensant : « Mémé va dire des choses qui feront de la peine à maman. Comme si ce n'était pas suffisant avec papa. »

Hors d'elle, regardant les trois femmes : une vieille, une jeune, une petite fille. Comme des personnages dans un tableau qui échangent des mots que l'on n'entend pas.

Dans ces journaux « idiots » qui n'ont pas droit d'appartement, mais que maman achète parfois, vite lus, vite jetés, il y avait un article sur la mort où l'on disait que, détaché du corps, le double astral allait se nicher dans un coin, en haut de la pièce, pour regarder son agonie humaine.

« Peut-être je suis morte et je nous regarde toutes les trois ! »

Elle cherche de l'œil, le coin où se trouve ce double qui les observe.

— Tu vois, jubile la grand-mère, je l'ai fait rire, la petite... toi, tu prends tout trop au sérieux, ma grande. Ce n'est pas mal que tu aies eu des amoureux. Toutes les jolies filles en traînent derrière elles. Tu crois que moi, dans ma jeunesse...

Agnès est dans la rue calme, laissant derrière elle, avec son fou rire, les paroles agressives qui avaient rompu ce havre de paix. Cette trêve qu'elle avait tant souhaitée pour aujourd'hui. Quand elle s'est levée, « il faut que j'y aille, sinon j'arriverai en retard à l'Institution », sa grand-mère avait jeté : « Institution ! Tu ne pourrais pas aller à l'école comme tout le monde ! »

Mais c'était sans méchanceté, axée qu'elle était sur les amoureux de sa jeunesse et ceux de sa fille qui lui répondait... « Radio Nostalgie ! ».

Elle partait bien en avance, mais les deux femmes, tout à leurs regrets — le passé se bonifie en vieillissant et prend un bouquet de regrets — ne s'en étaient pas aperçues.

L'APRÈS-MIDI

4

Quand j'étais toute petite, papa venait me dire bonsoir dans mon lit. Il frottait son nez contre le mien... « C'est comme ça que les Esquimaux s'embrassent », disait-il. Je ne riais pas ; c'était très sérieux, un baiser d'Esquimau. J'aimais bien papa.

Agnès d'aujourd'hui. Sur ce banc. Dans ce parc. Sage, son cahier d'écolière posé sur ses genoux. C'est une journée de printemps dans la solitude verte et chaude des arbres et du soleil conjugués.

Mercredi
Papa est parti dès la dernière bouchée avalée.
Il n'a pas dit un mot pendant tout le déjeuner.
C'était d'un gai ! Pourquoi déjeune-t-il avec nous,
alors ? On serait mieux toutes seules, maman et
moi.

Si seulement je comprenais pourquoi ils se disputent. Enfin, pourquoi papa dispute maman ?
Elle, au début, protestait ; criait en réponse aux
cris de papa. Même, un soir, elle est partie. Papa en
est resté tout interloqué. Il m'a dit — à moi ! — :

— Qu'est-ce qui lui prend à ta mère ? Si on ne
peut plus discuter, maintenant...

— Ah ! parce que c'était une discussion ? J'ai
cru que vous vous disputiez.

Si c'était une « discussion », elle était violente !
J'ai assisté à des discussions entre des profs. Ils se
jetaient à la tête des dates, des noms de villes ou de
batailles, mais pas un cendrier. Comme papa
venait de le faire.

Le bruit du cendrier, en tombant, par terre
— heureusement ! — m'avait fait sortir de ma
chambre où je m'étais réfugiée. J'avais peur.

C'est à cause du cendrier que maman est partie.
Quand je suis arrivée dans le salon, papa, un peu
penaud, était en train d'en ramasser les morceaux
en balbutiant quelque chose en forme d'excuse,
mais maman ne l'écoutait pas. Elle est passée

devant moi sans me voir, et j'ai entendu la porte qu'elle claquait derrière elle. Et papa, ce qui restait du cendrier dans la main, était tout ahuri.

— Elle n'a pas pris de manteau, et il fait froid ce soir.

J'ai lancé ça comme un reproche. C'en était un !

Oui, une de leurs premières disputes. Je n'ai pas dormi tant que je n'ai pas entendu maman rentrer. J'étais malheureuse, mais pas comme aujourd'hui. Et le lendemain matin, papa était tout gentil.

Pourquoi ? Qu'est-ce qu'il y a comme pourquoi... ma vie à présent c'est un vrai « ? » Bon ! pourquoi maman n'a-t-elle pas continué comme ça ? Maintenant, elle ne dit plus rien. Elle est humble. Je déteste. J'ai envie de l'embrasser et de la battre...

J'essaie de me souvenir... comment ça a commencé ? Peu à peu probablement ; avant que je m'en rende compte. J'étais trop petite, je ne faisais pas attention. Pourtant, il n'y a pas si longtemps, tout allait bien ! Je me rappelle l'anniversaire de mes dix ans. Il m'a marqué plus que les autres. Maman riait. Il n'y avait pas encore de larmes dans ses yeux. Papa m'a prise dans ses bras et m'a levée très haut, en disant : « Une décennie, ça se souhaite fort, avec beaucoup de cadeaux. » Il y en avait plein... mais le plus beau : une chaîne en or. Jamais je n'en avais eu. « Il faut être une grande *fille pour y avoir droit. » C'est lui qui me l'a passée autour du cou. Depuis elle ne m'a jamais quittée, même la nuit je dors avec.*

Bien sûr, de temps en temps ils se chamaillaient. Normal. Ça fait partie de la vie de tous les parents. Après ils s'embrassaient et, du moins pour moi, c'était fini... Alors, qu'est-ce qui a provoqué les vraies bagarres ?

Je suis sûre que papa ne m'aime pas... plus ? Il m'a aimée, pourtant. J'étais « sa toute-petite », « sa fille chérie »...

Et maintenant, il ne m'adresse plus la parole que pour me gronder. Et son ton alors... sec ! Comme s'il était au tribunal face à l'accusé ! « Je n'ai rien fait de mal, Maître, je le jure. »

Il m'en veut, oui... c'est ça, d'être... d'être la fille de maman ! Il me refuse, je ne suis pas sa fille à lui.

Incompréhensible ! À moins qu'il n'ait appris quelque chose...

Idiot, IDIOT, IDIOT.

Calendrier du passé, les jours défilent, racontés au soir le soir.

Dimanche
Un vrai dimanche, comme il y avait longtemps

*que je n'en avais pas eu ! Nous étions invités
— moi aussi ! — chez l'ex- ou futur bâtonnier,
je ne sais plus... Il a une maison dans un minuscule village du Lubéron, avec un santonnier, un
vrai ! (j'ai été voir ses santons), et un énorme
mûrier qui couvre toute la petite place. Mais la
maison, alors là, j'ai adoré ! Des voûtes de pierre,
des plafonds « à la française », des cheminées pour
faire rôtir un bœuf ! Ce que c'est beau ! « C'est
l'ancienne demeure seigneuriale », a-t-il expliqué,
tout fier... mais pas... pas vaniteux, fier de sa
maison ! Je le comprends. Il y a un grand jardin
avec une piscine et comme son fils a juste un an
de plus que moi — c'est lui qui m'a emmenée chez
le santonnier — on s'en est donné à cœur joie.
Je me suis très bien entendue avec lui. J'aime
mieux les garçons que les filles ; c'est moins bêta.
Son père, dans une cave — drôlement belle —
lui a installé une vraie salle de gymn, corde à
nœuds, trapèze, barre fixe... pas une moderne
avec des gadgets électriques, mais ce que c'était
amusant !*

*Et puis on a déjeuné dehors, il faisait tellement
beau ! Et c'est la femme de l'ex-futur bâtonnier qui
nous a servis... papa, toujours porté à redire chez
nous, trouvait tout « charmant », « exquis », « entre
amis, un dimanche à la campagne... » (Sûr ! Chez
un presque bâtonnier ce ne peut être que par-*

41

fait !)... mais sa femme, alors, je l'adore ! Rien à voir avec les bonnes femmes que je connais. Rieuse, détendue, sans chichis... c'est une Parisienne et elle voudrait bien que son mari aille jouer le maître du barreau à Paris. Sa sœur est mariée à un journaliste très connu dont je n'ai pas retenu le nom ! À la fin, elle a entraîné maman dans une danse folle en chantant « Ah ! les p'tites femmes de Paris... » Je pensais que papa, outré, allait se lever et partir, mais il a applaudi... tiens donc ! (Non. Je pense qu'en fait il avait oublié tous ses principes et qu'il s'amusait bien. Il devait être comme ça quand maman l'a connu. Sinon elle ne l'aurait jamais épousé).

Quand on est partis, ma maman était redevenue celle d'autrefois, si rieuse, si gaie... et pendant que papa conduisait, elle avait posé sa main sur son genou et je voyais, dans le rétro, qu'il lui souriait.

Si ça pouvait durer !

Mon anniversaire
Il n'y a pas eu de fête, cette année. Le cadeau de papa : une serviette de cuir ! Pour aller en classe ? Ou dois-je la garder pour m'en servir quand je serai étudiante en droit ? J'ai failli le lui demander. Maman, elle, m'avait acheté le jean

dont j'avais terriblement envie. Papa a froncé les sourcils ; il vaut mieux que je ne le mette pas devant lui. Même pas un gâteau, avec les bougies que j'aurais soufflées d'un seul coup, et papa n'a pas dit comme pour mes dix ans : « Mireille, venez trinquer avec nous pour l'anniversaire de mademoiselle. » « Mademoiselle », quand j'y pense, j'ai envie de rire et de pleurer ! Mireille qui m'a vu naître, qui me tutoie. Sur le moment, je n'y avais pas prêté attention ; c'est après...

En même pas trois ans, tout a changé. Comme si un mauvais génie avait soufflé sur notre bonheur et l'avait fait tourner.

Ce n'est pas cela que je voulais écrire. Je voulais écrire la messe de ce matin avec maman. Papa ne vient jamais, ou presque, à la messe. Et pourtant il est catho-dur... qu'il dit ! Pour ce qui l'arrange ou pour être méchant, ça oui !

Agnès feuillette les pages de son cahier. Relit-revit ce jeune autrefois court. Si long. Y retrouve, entre les feuilles, les bribes d'un très ancien autrefois où ils étaient heureux « comme dans un conte de fées », disait maman, « et le prince charmant épousa la bergère et ils eurent beaucoup d'enfants »... « Tu aimerais avoir des petits frères et des petites sœurs, ma chérie ? »

Heureusement que je n'en ai pas. C'est suffisant, Moi !

Un jour Agnès a dit, avec cette logique absolue des jeunes enfants : « Mais papa n'est pas un prince, et toi tu n'as jamais gardé les moutons ». Son père avait ri : « Si, un prince du barreau et ta maman... » il avait hésité, mais Agnès avait trouvé : « Maman a eu un mouton quand elle était petite fille. » Elle avait regardé, sérieuse, sa mère : « Alors, il ne faut plus manger de côtelettes. »

Ils étaient grands devant elle, gamine de quatre ans, ravis, enchantés comme dans les contes.

Agnès de treize ans. Une ritournelle dans sa tête, un des aphorismes préférés de sa grand-mère : « Tout lasse, tout casse, tout passe. »

Feuillets tournés, présent au passé. Un merle la regarde, ailes pointues, œil rond. S'il était de Java, il pourrait lui parler, mais il est d'Aix.

Cet après-midi, dans la cour, il y avait des filles qui chuchotaient, avec des rires derrière leurs mains. Ce qu'elles peuvent être bêtes ! Elles se sont tues quand la surveillante est passée : « De quoi parlez-vous mes enfants ? » Sourcils froncés. « Jouez plutôt ! Voyons, la récréation est faite pour courir, sauter... » Une, de troisième, a osé être irrespectueuse :

J'ai treize ans et je vais me tuer

— *Vous savez, mademoiselle, nous n'avons plus six ans… alors, chat perché ou cache-cache… Le mercredi et le dimanche je joue au tennis, c'est quand même plus intéressant.*

Elle a regardé la pion, (du latin : «pedo» : grands pieds… hein ! Bravo Agnès !). Et c'est vrai qu'elle les a immenses. La seule chose de grand en elle ! On l'a surnommée Bibasse parce qu'elle est presque naine, avec un visage qu'on ne reconnaît pas tellement il est insignifiant, l'air bonasse, et pas bonne… oh ! non. Si elle pouvait prendre une règle et nous taper sur les doigts… elle doit le regretter, le temps où c'était permis.

Jo-la-grande — elle a un an de plus que moi… — avait son œil que j'aime bien, je crois que c'est la seule de l'école que je supporte, vachard et « impertinent, mademoiselle » (ça, c'est le prof de latin quand je « réponds »).

— *Évidemment, s'il y avait une équipe de basket à l'Institution, j'en ferais tout de suite partie.*

La Bibasse, elle a failli en mourir.

— *Basket, basket… Je vais aller dire à la directrice que…*

— *Nous aimerions bien créer dans notre charmante ruche une équipe sportive. Mais oui, Bi… bi-en, mademoiselle, soyez notre messagère.*

Jo m'a regardée, tellement drôle que j'avais du mal à retenir mon rire.

— *Tu en ferais partie, Agnès ?*

J'ai dit « oui », en pensant en même temps à la tête de papa si...

Du coup, je me suis rapprochée de leur groupe, pendant que Grands Pieds allait faire son rapport.

— *On parlait du feuilleton de la télé,* Hélène et les Garçons. *Tu aimes ? Moi je trouve ça con... plè-tement idiot, a-t-elle rectifié en voyant Bibasse naviguer, vent arrière, vers nous.*

Heureusement, on était à la fin de la récréation. J'aurais eu l'air de quoi ! Je regarde la télé unique-ment le soir. En famille ! Quand il y a une émis-sion qui plaît (c'est rare !) à papa. Alors... Hélène et les Garçons, *je connais de titre parce que c'est « le préféré des ados de treize à quinze ans »* (Télé 7 jours), *mon cas ! Six heures quarante-cinq, il va passer... et comme il n'y a personne — que Mireille qui va être bien contente de s'offrir une télé-partie —, je vais aller m'instruire.*

Eh bien, elle avait raison, la grande Jo. Nul ! Tout y passe, même le sida ! Ça c'est moderne... le pôvre garçon qui avoue : « J'ai le sida, alors soyez gentils avec moi. » C'est pas vrai ! J'aime quand même mieux Baudelaire, le « poète maudit ». Je l'ai trouvé dans la biblio de papa. Il avait la syphilis, lui — c'est dans la préface — il n'en faisait pas un plat !

46

J'ai treize ans et je vais me tuer

Le soir j'ai dit à papa : « Comme j'avais fini mes devoirs, j'ai regardé Hélène et les Garçons. » Il a haussé les épaules, mais gentiment, il ne l'a sûrement jamais regardé : « Tu aurais mieux fait de prendre un bon livre ». J'ai eu envie de lui dire : « Il y avait un des garçons qui avait le sida... » mais c'est tellement courant ; la capote et le sida ça va de pair... même un bébé de six mois doit être au courant. Il n'y a que maman pour avoir ignoré la pilule, le soir où ils m'ont faite !

Quand j'ai lu Les Fleurs du mal (Pardon ! le titre...), j'ai demandé à mon paternel — une vraie histoire de môme — : « La syphilis, qu'est-ce que c'est ? »

Il m'a toisée comme si j'avais dit un gros mot. Je le savais, j'avais regardé dans le dico — et il m'a répondu : « Heu... une maladie comme la tuberculose. » On aurait dit qu'il était en train de plaider « non-coupable ». J'ai dit : « Tiens, je croyais que c'était une maladie vénérienne. » Quand même, le futur bâtonnier d'Aix, il ferait bien de se mettre à la page. Je devrais peut-être conseiller à mon papa de regarder les séries-télé pour son éducation !

Le parc est un jardin enchanté où il n'y a que des fleurs, des arbres, des oiseaux, une fille de treize ans.

Treize ans c'est très long : combien de millions de minutes représentent-ils ? Les minutes qui se comptabilisent pour devenir heure dont il ne faut que vingt-quatre pour faire un jour. Les jours s'ajoutent les uns aux autres jusqu'à être semaines qui se transforment en mois dont douze forment un an. Et les ans accumulés soldent une vie. Celle d'Agnès sera la fin d'une longue, longue journée, commencée il y a des millions de minutes.

Elle, Agnès, n'a pas envie de lire les dernières pages de son journal : ce moment où elle a perçu comme un changement de pays. On est dans l'un et, subitement, on se trouve dans un différent mais il y a d'abord le no man's land : un pied de chaque côté d'une frontière.

Suit de l'œil le merle qui en chasse un autre. Merle méchant qui n'accepte pas qu'un confrère empiète sur son territoire. Il sautille, ravi d'avoir fait fuir l'étranger. Agnès saute d'une page à une autre, sans ordre, sans suite, abandonne la page qu'elle lisait, revient en arrière.

Il y a un an et demi, les scènes, les vraies, ont commencé. Pour rien, n'importe quoi. La robe de maman qui ne plaisait pas à papa : « Vulgaire ! » Une très jolie robe. Moi, je l'aimais bien. « Je ne

te compte pas l'argent pour t'habiller ! » Ça m'est
resté. C'était comme un chef arabe à une femme
de son harem ! Il « payait » pour qu'elle soit belle
à ses yeux à lui. Maman est devenue cramoisie.
C'était... humiliant. Oui, humiliant ! Elle s'habille
très bien, maman. Il disait ça pour la vexer.

Ce jour-là, ou le lendemain, je ne sais plus, elle
était à la fenêtre, elle regardait dans la rue. Je sentais qu'elle était malheureuse. Je suis venue ; il y
avait une bonne femme en bas, toute pincée,
comme les mères qui viennent chercher leur fille à
l'Institution, et maman m'a dit :

— Regarde. Cette femme-là, c'est celle qui a pris
ma place dans le cœur de ton papa !

Et puis, d'un seul coup, elle a tiré le rideau :

— C'est idiot ce que je viens de dire. Oublie-le.
Pauvre maman.

Je ne crois pas que papa ait une petite amie. C'est
une histoire que maman se raconte ; parce qu'elle
aime mieux ça que la vérité. La vérité, elle est trop
triste, trop moche.

Le malaise des jeunes. Ils ne parlent que de ça à
la télé et dans les journaux... moi, pas connaître !
Je suis programmée depuis ma naissance : l'Insti-

tution, la fac, puis je ferai mes études de droit comme a fait mon papa, après je m'associerai avec lui, comme il l'avait fait avec mon grand-père, et quand il prendra sa retraite il me laissera son cabinet... Là, dérive : papa a ouvert son propre cabinet quand il a épousé maman. Je ne le connais pas beaucoup ce grand-père, ni sa femme que j'ai du mal à appeler bonne-maman. Je serais plutôt portée à lui dire « madame » et à lui faire la révérence. Son petit baiser sec quand elle m'embrasse... on voit tout de suite qu'elle m'aime, c'est fou ! Heureusement on ne va chez eux qu'une fois par an. Pour je ne sais plus quel anniversaire. Et le Noël en famille, il se passe toujours à la neige, tous les trois ; on a un chalet à Serre-Chevalier, j'adore ! Bien que maintenant... l'arbre de Noël, cette année, il était plutôt tristounet. Pourtant maman, et même papa (quel effort de sa part !), faisaient ce qu'ils pouvaient pour que ça ressemble à un Noël.

Bon. Il y a des moments où je me dis que le malaise des jeunes, ça vaut peut-être mieux que l'avenir tout préparé : avocat, mariage, bébés, disputes, haine.

Autrefois, cette ligne droite, c'était celle du bonheur. Maintenant, je pense... ce serait plutôt celle du malheur !

J'ai treize ans et je vais me tuer

J'ai entendu Mireille qui disait à maman : « Il vaut mieux que je parte, parce que la vie, ici, c'est devenu l'enfer. » Il ne manquerait plus que ça ! Mais c'est vrai : le « foyer familial » n'est plus un foyer... ou alors, ses flammes ont tout ravagé, parce que la famille, je la cherche ! Les portes claquent, les sanglots, les cris... même devant Mireille, papa ne se gêne plus !

Bien sûr, être au chômage, ne pas savoir où coucher le soir... à Aix, je n'ai jamais vu des garçons errer à la quête d'une chambre ou d'un dîner, même d'une situation. Il doit y en avoir, mais je ne les connais pas. C'est peut-être pour cela que le « malaise des jeunes » m'échappe.

Non. La vraie vérité est autre : eux se battent contre la vie. C'est une lutte. Moi, ce n'est pas la vie que je ne supporte plus. C'est Moi.

Ruche bourdonnante dont les mots s'envolent vers Agnès dans un vrombissement continu, la cerclant, la piquant de leur amertume empoisonnée ; jaillis d'elle des semaines, des mois auparavant, revenant vers elle en ce jour.

Je sais, oui, à partir de quand les vraies disputes ont commencé... c'est une image au fond de moi que je ne veux pas regarder, mais qui est là.

On avait un « grand » dîner à la maison. Dans ces cas-là, maman téléphone à un bureau de placement, qui lui envoie un homme pour servir à table.

Oh ! Je nous revois tous. Vrai, comme si on avait pris une photo de famille... de famille !

D'habitude aussi je dîne avant, avec Mireille, dans la cuisine ; quand les invités commencent à arriver, je vais dans ma chambre et là, tranquille, je lis. J'aime autant ! Poser avec une jolie robe, faire le « singe savant », comme dirait bonne-maman, pour tous ces gens qui m'ennuient, très peu ! Seulement, ce soir-là il y avait mon parrain... Il vit aux États-Unis, mais il a été, il est toujours, quoiqu'ils ne se voient pas beaucoup, le meilleur ami de papa. Ils ont été étudiants ensemble et ils ne se quittaient pas. Maman aussi l'aime bien. Elle l'a connu en même temps que papa. Moi, je crois qu'ils étaient tous les deux amoureux d'elle. C'est peut-être pour ça qu'il est mon parrain. Pour le consoler de n'être pas mon père ? Et c'est peut-être aussi à cause de maman qu'il est parti vivre en Amérique ? Pour ne plus la voir ? Et qu'il ne s'est pas marié ? Bon, c'est une histoire que je me raconte, mais elle me plaît bien.

Enfin, parrain avait demandé que j'assiste au

dîner « *pour que je connaisse un peu mieux cette grande fille qui est ma filleule !* ».

Ça, *pour me connaître... je devais avoir sept ans ou huit la dernière fois que je l'avais vu ! Pour moi, c'était plutôt vague comme souvenir... je me le rappelle ; il m'avait bien plu, je lui avais demandé — oh oui, je ne devais pas avoir plus de sept ans — :* « *Quand je serai grande, tu m'épouseras ?* » *Il avait ri et m'avait dit :* « *Ce serait avec grand plaisir, ma chérie, mais c'est impossible* » « *Pourquoi ?* » *j'étais fâchée... à l'époque, papa faisait mes quatre volontés et je n'admettais pas qu'on me dise* « *non* ». « *Parce que je suis ton parrain et que l'église interdit le mariage entre parrain et filleule.* »

Ce soir-ci, *avec ma* « *belle robe* », *mes cheveux coiffés par maman, on aurait dit que je sortais d'un livre de la Comtesse de Ségur.* « *Je vous recommande* Les Petites Filles modèles, *mes enfants. Cela vous incitera peut-être (soupir !) à la politesse d'autre- fois (resoupir).* » *Dixit le prof de français. Ce n'est pas la Comtesse qu'elle est censée nous faire étu- dier, mais c'est moi qui l'avais questionnée sur ces romans de la Bibliothèque rose. J'avais mis dans ma question toute la politesse qu'elle aime tant, ce qui fait qu'elle s'est sûrement demandé : imperti- nence ? Ou curiosité de bonne élève ? Elle a opté pour la seconde solution. Ouf !*

J'ai *abandonné les invités et nous trois dans*

53

*le salon. Tout se passait bien. En apparence :
le garçon qui devait faire le service n'était pas là
et maman, je le voyais, était inquiète. Pour cause :
quand papa a vu que c'était Mireille qui servait,
il a eu un froncement de sourcils... Elle n'avait
rien dû lui dire pour ne pas se faire gronder !*

*Enfin, ça allait, et maman, que je sentais toute
contractée — moi aussi, du coup — redevenait
normale. Et puis le drame ! Mireille entre, affolée,
dans la salle à manger :*

— Mariette, j'ai le feu à la cuisine, viens vite !

*Tout le monde se lève au mot « feu », sauf moi :
je me doutais, c'était déjà arrivé ; il suffit d'un
faux contact et le chauffe-assiettes, en tissu, s'en-
flamme. J'avais bien raison ! Maman est revenue
de la cuisine en disant « ce n'est rien ».*

*Elle a tenté de sourire, mais le cœur n'y était pas.
Elle était toute rouge. Papa, lui, tout blanc... Ça
faisait une moyenne ! Il a dit — à mi-voix quand
même — : « Depuis quand ta... — il a failli dire
« bonne », s'est repris — ton employée de maison se
permet-elle de te tutoyer ! »*

*C'était ça, pas le feu, qui l'avait mis hors de lui.
Il le sait bien pourtant : Mireille, la fille de la cuisi-
nière-serveuse-femme de ménage-copine de ma
grand-mère, est un peu plus âgée que maman.
Elles ont été élevées ensemble, et maman, petite
fille, devait être pour Mireille comme sa petite*

sœur. Alors parfois le tutoiement de leur enfance lui échappe... et, le « madame » est remplacé par Mariette.

Qu'est-ce que ça pouvait faire ? C'était un petit-grand dîner, parrain et deux petits vieux qui ont été leurs profs, à lui et à papa, en fac de droit ! Papa n'a plus rien dit jusqu'à leur départ, mais après son éclat, le feu à la maison, Mireille qui, dans son émotion, servait tout de travers, maman qui s'empêtrait dans des sourires d'excuse — c'était plutôt guindé !

Quand les profs sont partis, de bonne heure, et qu'on est restés seuls avec parrain, papa a repris de plus belle. Il a commencé par une vraie phrase de pater familias :

— Je n'admets pas...

Je priais pour que maman ne se mette pas à pleurer. Non, pas ça ! Pas devant mon parrain d'Amérique...

Mais, oh ! surprise, c'est lui qui a très mal encaissé la remarque de papa ; il a pris la défense de maman, ce qui n'arrangeait rien ! J'ai vu le moment où les deux meilleurs amis du monde allaient se chamailler comme des collégiens ! Si seulement ils s'étaient un peu tapé dessus... ça aurait mis de l'animation !

Ce dîner-là, il ressemblait plus à un repas d'enterrement qu'à une joyeuse soirée.

*Le lendemain, papa a recommencé en « exi-
geant » que maman renvoie Mireille. Maman bien
sûr a refusé, mais, ça avait beau se passer dans le
salon et l'appartement être grand, je suis sûre que
Mireille a entendu !*

*Maintenant que je suis plus vieille, que je réalise
mieux les choses, je pense que tout ça devait
couver depuis pas mal de temps : une phrase iro-
nique-méchante de papa... le mal à l'aise de
maman... mémé qui ne venait presque jamais à la
maison ; les quelques fois où elle était venue, j'en
gardais un souvenir désagréable. Papa n'était pas
aimable, pas du tout ! Mais mémé, elle, n'est pas
femme à se laisser faire. Alors, la séance se termi-
nait toujours de la même manière : mémé se levait,
disait une phrase dans le genre « ne vous inquiétez
pas mon gendre, je ne remettrai jamais les pieds
chez vous » et partait, courroucée. Comme je
les aimais bien tous les deux, j'étais malheureuse. Je préfère aller chez ma grand-mère avec
maman. Toutes les trois ensemble, on s'amuse
bien ! Maman m'avait donné une explication
que j'acceptais avec l'insouciance de mon âge :
« Gendre et belle-mère s'entendent rarement ! »*

*C'est plus tard que tous ces faits, mis les uns à
côté des autres, m'ont fait comprendre...*

J'ai treize ans et je vais me tuer

Lundi

Non, le beau dimanche, le gai dimanche n'a pas duré ! Pas même deux jours.

Pourtant, hier, en descendant de voiture, papa semblait très amoureux de maman. Il la tenait par le bras et tous les deux se parlaient à voix chuchotée, avec des petits rires complices.

Le soir, maman m'a dit :

— Tu ne t'ennuieras pas si on te laisse ? Nous allons dîner — elle a un peu hésité — tous les deux, ton papa et moi.

— En amoureux !...

J'ai battu des mains :

— ... Oh ! comme je suis contente ! Dis, maman, tout va s'arranger ?

Elle a eu un petit sourire, mi-triste, mi-gai. Ça a été sa seule réponse.

Il y avait longtemps que je n'avais pas passé une aussi bonne soirée. J'ai joué à la jeune femme chez elle ! Déplaçant un objet, mettant à réchauffer mon dîner — je n'avais pas voulu que Mireille reste pour moi ; ça lui faisait une soirée à elle... elle n'en a pas tellement ! — La vérité, j'avais envie d'être seule : c'est rare ! J'ai hésité entre dîner à la cuisine et mettre un couvert dans la salle à manger. Finalement, je me suis décidée pour un plateau, et je me suis installée devant la télé. Extra !

57

Mais mon vrai bonheur... en moi, il y avait une petite chanson : « Papa et maman sont réconciliés ! Il n'y aura plus de dispute ! Papa et maman... »

Vers dix heures et demie je les ai entendus rentrer. Je dormais à moitié, je n'ai pas voulu aller leur dire bonsoir, parce que je pensais qu'ils avaient envie d'être tous les deux. Ça ne doit pas être tellement agréable pour eux d'avoir une grande fille qui est toujours là, en tiers. Peut-être est-ce cela qui agace papa ? Il y a des moments où il semble tellement me détester !

Je me rendormais doucement, toute quiète, toute heureuse, les éclats de voix m'ont réveillée. J'ai pensé « Ce n'est pas vrai ! » et tout mon bonheur s'est cassé.

Papa hurlait ! Il ne criait pas, non, il « gueulait » comme... comme je ne sais pas ! Jamais je n'avais entendu des injures, des mots aussi grossiers ! Et, dans la bouche de papa, c'était... indécent ! J'ai mis mes mains sur mes oreilles, je ne voulais pas entendre ! Mais il m'en arrivait des morceaux : «... merde... de Dieu... salope... » Il a dit aussi « putain », j'en suis certaine. Ce n'est pas maman qu'il traite de putain... impossible ! Et il y a eu un bruit comme si quelqu'un tombait brutalement par terre.

Je ne peux plus dormir. Je me suis levée et j'écris

pour me calmer. Maintenant la maison est silen-
cieuse. Un silence de désespoir, pas de bonheur !

Elle se rappelle cette nuit, Agnès dans le soleil, et tout devient sombre et hostile. Le parc paisible recèle maintenant la peur et l'horreur.

Ferme vivement son cahier. Se lève comme si elle voulait s'enfuir.

Elle ne veut pas être en retard. Cela ne lui est jamais arrivé, et ce jour doit être pareil aux autres. Un jour comme un autre.

5

Les élèves sont sages, comme une image des *Petites Filles modèles,* qui écoutent le professeur parler de Molière. Avec Racine et les autres Grands du Grand Siècle, il est au programme de cette année.

Ronronnement. Mêmes mots répétés tous les ans, et la même plaisanterie qui amène un sourire de complaisance sur les visages hypocrites.

— Pour que vous reteniez ces noms illustres, voici un aide-mémoire : une Corneille perchée sur une Racine Boileau de La Fontaine Molière.

Un rictus qui veut passer pour un rire.

Si je suis morte sans l'avoir su
À qui vais-je demander l'heure...

De quel coin obscur des souvenirs jaillissent-ils, ces deux vers qu'Agnès a mis au féminin ? Ils lui plaisent bien ces vers qui pourraient être de Prévert, mais sont de... ? Sa mémoire se refuse à livrer le nom de l'inconnu.

Elle regarde sa montre, comme elle l'a regardée dans le parc, pour mesurer le temps qui lui est imparti.

Loin devant elle, à l'autre bout de la classe, une femme psalmodie des alexandrins, dont elle ne voit pas le visage, brouillé par ses pensées à elle, Agnès. Pas de ce poète trop moderne, mais d'un classique sécurisant.

À qui irai-je demander l'heure, puisque je me retire de la vie chaque fois qu'il y a une scène ? « Scène », c'est bien le mot, on se dirait au théâtre. Après tout, un avocat c'est un comédien qui a pris, pour texte, les lois ! Ce soir je me retirerai...

— Agnès, je vous ai posé une question.

— Oui, mademoiselle.

— Alors pourquoi n'y répondez-vous pas ?

Bon ordinateur qui n'a pas besoin de l'esprit pour faire son métier, sa mémoire lui souffle la question posée. Elle y répond :

— J'aime Racine, je déteste Corneille.

Outrée, le prof ! Comme si on pouvait ne pas aimer un classique, que les siècles ont sculpté dans l'immortalité !

— Et pouvez-vous me donner le motif de cette... détestation ? (incompatible avec l'esprit de l'Institution).

— Parce que les vers de Racine, c'est la passion. La vie et la mort. Tandis que les scènes de Corneille sont contrôlées par les règles de la morale, de la vertu et de l'honneur.

— Pour vous, donc, vertu et honneur n'existent pas ?

Pirouette :

— Je parle par rapport à son époque, mademoiselle.

— Eh bien (ironique), vous venez de donner à la classe le sujet de la prochaine dissertation : « Comparez la passion de Racine à l'honneur de Corneille et donnez vos raisons. » Diane, pour faire plaisir à Agnès, veuillez réciter le monologue de Phèdre.

— *Oui, Prince, je languis, je brûle pour Thésée*

Est-ce que maman a aimé, comme cela, papa ?

— *Charmant, jeune, traînant les cœurs après soi*

Je n'arrive pas à imaginer papa jeune homme. Pourtant, pour que maman soit tombée amoureuse de lui, il devait être « charmant ».

Petits rires dans la classe qui accompagnent, ostensiblement, l'ironie de « Mademoiselle ».

Agnès, toujours la première en littérature, se permet de discuter l'indiscutable.

Elles se moquent de moi. Toutes. Mais je m'en fiche. Racine, j'aime ; Corneille est vieux, figé dans les nobles sentiments. Papa doit aimer Corneille. Il faudra que je le lui demande : « J'ai une rédac sur Corneille et Racine... » C'est le genre de question que je peux lui poser, ça lui permet de pontifier. Non. Je ne lui demanderai plus rien, jamais. Pourquoi, dans la vie, ce n'est pas comme dans les pièces de théâtre ? Si papa engueulait maman en alexandrins, au moins ce serait noble ! Et drôle !

— *... qu'une juste vengeance...* Agnès, c'est à vous que je m'adresse. Décidément, je ne sais où vous êtes aujourd'hui, mais sûrement pas avec nous !

— *Juste vengeance.* Non, mademoiselle, je ne pense pas qu'une vengeance puisse être juste.

La littérature s'éclipse pour laisser place à l'Histoire. Ces deux cours ne sont pas parallèles. Un saut de puce précipite la classe dans la terreur de la Révolution : la mort de la malheureuse reine martyre, Marie-Antoinette, ainsi que celle du bon serrurier qu'aurait pu être le roi ! Heureusement, la morale est sauve puisque les méchants s'entre-tuent. Robespierre l'incorruptible fera guillotiner Danton le prévaricateur.

Agnès a retenu de ces horreurs passées et dépassées le « Ça ira... ça ira, les aristos à la lanterne » qu'elle fredonne en récréation, aux oreilles de Bibasse, pion mais « de ». Le chant révolutionnaire est interrompu par un « Jourbon Sellemoidema », courtoisement lancé par Jo-la-grande, et qui amène automatiquement le « Bonjour mon enfant... » Mais est-ce bien la phrase habituelle qu'a prononcée l'élève ? La sonorité y est, mais bizarrement fausse, d'une consonance qui fait à Bibasse l'œil et l'esprit égarés. Ces enfants élevés dans le respect des traditions... Le verlan des voyous d'autrefois n'en est-il pas une ? Mais, policée, « mademoiselle » est inversée et non remplacée par l'authentique « meuf »...

20 février
J'ai eu droit à une scène. Une vraie ! Et pour moi toute seule ! Ça doit être une promotion : je suis une grande fille, plus un bébé !
Je n'ai pas vu papa en rentrant. Je m'y attendais, il devait être au palais, et maman m'avait fait prendre les clefs en me disant :
— Je ne serai pas à la maison, ni Mireille, et André (autrefois quand elle me parlait de lui elle disait toujours « papa » mais, depuis quelque temps, c'est « André » comme si elle rejetait papa.

André, c'est le nom d'un homme. Ce pourrait être n'importe qui) sera au palais cet après-midi, et il n'aura pas besoin de la voiture. J'en profite pour conduire Mireille à Marseille. Tu sais, sa mère est très malade, elle va être hospitalisée cet après-midi.

Depuis qu'elle a pris sa retraite, la Tati — c'est comme cela que maman l'a toujours appelée, et du coup moi aussi — vit à Marseille, dans le quartier de Sainte-Marguerite. Elle y a un petit pavillon qu'elle a hérité de ses parents. J'y suis allée trois ou quatre fois, quand papa était en voyage. C'est une grosse femme, pas très distinguée. Mireille est bien mieux qu'elle. Tiens, au fait, elle ne parle jamais de son père, il faudra que je demande à maman... pas à elle, ça pourrait la gêner. J'ai une vague idée qu'elle n'a pas dû beaucoup le voir... si elle l'a connu !

La Tati fait un peu marchande sur le marché, mais, comme dit mémé, elle a le cœur sur la main. Elle vit d'une petite retraite que Mireille améliore autant qu'elle peut et mémé ne regarde pas aux cadeaux. Chaque fois que nous allons la voir, elle lui apporte un cageot plein, qu'elle lui donne avec toujours la même phrase : «Tiens, ma bonne, ce sont quelques restes que j'ai mis de côté pour toi.» En fait de restes... elle a sûrement fait le tour du supermarché la veille ! Mais elle dit ça par gentillesse, pour ne pas vexer sa « vieille copine » !

C'était la première fois que, papa étant là, maman accompagnait Mireille chez sa mère : il fallait que ce soit grave. Mireille en avait oublié son sourire et maman m'avait fait un petit signe pour que je comprenne et ne dise rien.

J'étais donc bien tranquille dans ma chambre, faisant mes devoirs, quand j'ai eu besoin d'un dico. Ils sont dans le bureau. En ouvrant la porte, j'ai sursauté avec un petit cri : papa était là. En guise de bonjour j'ai eu droit à « Tu pourrais frapper avant d'entrer ! » J'ai bégayé, tellement j'étais surprise, « je croyais que tu étais au palais ».

Que n'avais-je pas dit !

Il a ricané :

— Parce que, lorsque je ne suis pas là, tu viens fouiller dans mes affaires ?

— Je venais juste chercher un dico...

Je ne savais plus que faire. C'était un inconnu que j'avais devant moi, pas mon père. J'ai ajouté une phrase bien polie :

— Excuse-moi de t'avoir dérangé...

Et j'allais repartir. Il a grommelé, mais avec indifférence, pas gentiment :

— Prends un dictionnaire, puisque tu en as besoin.

67

Il était assis derrière son bureau. Il s'est levé, est allé vers la biblio où il y en a au moins cinquante.

— Quelle lettre veux-tu ?

Il sortait déjà un Littré. Je n'avais qu'une idée : retourner dans ma chambre.

— Oh ! Juste le Petit Larousse, c'est pour vérifier l'orthographe d'un mot.

Il a souri. Ce sourire dédaigneux... Je n'étais pas digne du Littré, sûr ! Il a pris le dico, me l'a tendu :

— Je t'en offrirai un pour Noël, puisque tu t'en sers... pour l'orthographe !

Des phrases banales mais, sans que je comprenne pourquoi, dans la bouche de mon père elles devenaient blessantes : « Petit Larousse », « orthographe »... je ne valais pas mieux que cela. Il m'humiliait comme il aime humilier maman. J'ai murmuré « merci » et je m'apprêtais à m'en aller quand il a dit, presque benoîtement (peut-être avait-il des remords) :

— Tu ne m'as pas dérangé. J'étais en train de nettoyer mon revolver.

Son revolver était en effet sur le bureau. Deux fois par mois il va tirer dans une salle d'armes, c'est une de ses distractions favorites.

J'hésitais — je devais m'en aller ou rester ? —, quand papa a regardé sa montre.

— Tu devrais être rentrée depuis au moins

trois quarts d'heure... Voudrais-tu m'expliquer ce retard ?

Ce ton... celui qu'il prend quand il cherche la dispute !

— Mais je suis rentrée il y a presque une heure. (C'était vrai.) Tu ne m'as pas entendue ouvrir la porte ?

Il s'est rejeté dans son fauteuil. On aurait dit César donnant audience à un plébéien.

— Si je t'avais entendue, je t'aurais appelée pour que tu viennes me dire bonsoir, puisque tu ne prends pas la peine de le faire.

C'est bête, mais j'avais peur de... mon père ? Non. D'un étranger ! Et il continuait :

— Enfin, je rentre chez moi, ma femme n'est pas là. Elle est à ses bonnes œuvres, je suppose...

Il pointait sur moi le revolver comme un doigt accusateur. Vide... les balles sur le bureau. De toute façon je ne pense pas que papa me tuerait ni ne tuerait maman... mais nous faire peur l'amuse, ça, j'en suis certaine.

— ... je veux un thé, il n'y a pas de bonne... et ma fille, que personne ne surveille, rentre à l'heure qui lui plaît !

Une vraie plaidoirie... même les gestes y étaient ! Je dis ça, je m'en moque maintenant, mais sur le moment je n'avais qu'une idée : m'enfuir dans ma chambre. Il n'en était pas question. Chaque fois

69

que je mettais la main sur le bouton de la porte il m'ordonnait :

— Reste. Je te parle.

Ce qu'il me disait ? Rien ! Des mots quelconques, je ne pourrais même pas les répéter. Mais il se dégageait de lui une malveillance...

Et puis, subitement, il s'est arrêté devant moi, m'a regardée comme s'il ne m'avait jamais vue :

— Qu'est-ce que tu fais là ? Tu as ton dictionnaire maintenant, eh bien, va faire tes devoirs.

Je ne me le suis pas fait dire deux fois !

Agnès se souvient avec netteté de cette soirée, de cette peur qui l'engluait, lui interdisait d'ouvrir la bouche, d'ouvrir la porte.

Cette fureur qui suinte de tous les murs, qui l'empêche de rentrer chez elle si elle n'est pas sûre d'y trouver sa mère. Peur de quoi ? Pourquoi ? Il ne m'a jamais frappé. Il crie des mots qui impressionnent les murs de leur méchanceté, les meubles, l'air... il suffit qu'il soit à la maison, même s'il ne dit rien, tout résonne de ses cris, les répète. Tout « sent » la méchanceté. Une odeur qu'elle ne supporte plus. Je finis par ne même pas me souvenir des années où j'étais une petite fille comme les autres.

Il lui semble que, toujours, son père les a haïes sa mère et elle.

J'ai treize ans et je vais me tuer

Mots enfouis dans le cahier secret. Épisodes d'un drame enfoui pour toute sa vie dans la mémoire d'Agnès.

Minuit
Je m'étais endormie sur des clameurs de haine.
Volontairement. Pour ne plus les entendre.
J'ai été réveillée par le pas furtif de maman qui rétablissait le silence.
Elle s'est arrêtée devant la porte de ma chambre. Si elle entre, elle me verra en train d'écrire. Je ne bouge pas. J'ai éteint ma lampe. Peut-être devrais-je au contraire me précipiter dans ses bras ? Je n'en ai pas le courage. Je pense qu'il vaut mieux qu'elle croie que je dors... que je n'ai rien entendu. Si doucement la porte s'est entrouverte sur le noir, s'est refermée. Les pas s'éloignent. Je suis lâche.
Tout à l'heure, pour la première fois, maman a prononcé « Divorce ». Un soulagement et un déchirement. Enfermée dans ma chambre, je priais « Oh oui ! Divorce, maman, on sera tellement heureuses toutes les deux. » Et en même temps je pensais à tout ce qui disparaîtrait de ma vie. Papa... bien sûr, je ne l'aime plus, mais je le revoyais comme il était autrefois. Il y a deux pères : celui d'aujourd'hui, et celui d'hier ! C'était celui d'hier que je regrettais, parce que celui

71

d'aujourd'hui… j'étais bien contente à l'idée que je ne le verrais plus. Difficile à m'expliquer… je ne comprends pas très bien, mais c'est comme ça… et puis ma chambre, l'hôtel de Galicie, la Via Aurélia, l'appartement… il appartient au père de papa. Nous ne pourrons sûrement pas y rester si maman divorce. Tant pis, ça vaut encore mieux qu'entendre papa.

Tous ces sentiments contradictoires ont disparu parce que papa criait : « J'obtiendrai la garde d'Agnès. » Sûr ! Lui, l'avocat qui a « l'oreille du barreau ».

Là, j'ai été terrorisée !

Oh ! Je ne veux plus de ma chambre, de la Via Aurélia, de l'hôtel de Galicie, si c'est pour y vivre avec mon père !

Pourquoi veut-il s'encombrer de moi ? Il ne m'aime pas. Il m'en veut, oui, d'être la fille de maman. Il me refuse ; je ne suis pas sa fille à lui ! Alors ? Uniquement pour faire de la peine à maman, c'est certain.

J'avais le visage tout mouillé, je pleurais sans m'en apercevoir. Je n'entendais pas ce que disait maman, elle parlait à voix basse, mais à nouveau celle de mon père, tonitruante : « Eh bien soit ! Je l'aurai six mois par an, et toi six mois. » Je me rappelais l'histoire de Salomon : papa, lui, n'hésite pas ; il me coupe en deux. Peut-être au fond de son cœur il tient encore un peu à moi ? Un jour, mémé a dit : « Il t'en veut, mais il est toujours amoureux de toi. » Pourquoi en veut-il à maman ? On peut en vouloir à quelqu'un et en même temps l'aimer ? Ou alors — ouais, c'est plutôt ça — par orgueil ! Il ne supporte pas que « sa » femme veuille le quitter. Il peut crier, tempêter, partir, Lui... mais maman doit être toute obéissance, et rester tant qu'il voudra d'elle. Alors, il le lui fait au chantage !

Trop compliqué pour moi. Mais je sais que plutôt que vivre même seulement six mois avec lui, j'aime mieux mourir.

Tout cela est écrit dans le cahier dissimulé sous ceux, scolaires, d'une élève sage qui ne quitte pas des yeux le tableau noir. Les pensées d'Agnès ne quittent pas les pages sans espoir. Mais qui peut connaître ses pensées ? Son image seule est perçue par les « autres » : élèves ou Mademoiselles.

Les mots sortent du cahier où Agnès les avait enfermés pour venir se placer entre elle et la feuille blanche consacrée au cours.

Ces mots, elle les a inscrits il y a six mois. Quelques jours après elle avait dit à sa mère : « Papa est devenu si méchant. Pourquoi ne divorces-tu pas ? » Mariette avait hésité puis : « À cause de toi. »

C'était faux... et en même temps c'était vrai. Maman ne veut pas me priver de tout ce que m'apporte mon père ! Elle a pensé — elle me l'a dit — « à mon avenir ».
Mais rester seule avec lui, j'ai bien réfléchi : impossible ! Avec maman, je dirais « oui » tout de suite ; même si — on n'aurait sûrement pas beaucoup d'argent — on devait aller vivre avec mémé dans son petit appartement. Et j'irai au lycée. Adieu l'Institution !

Cela, c'était ce qu'Agnès pensait il y a six mois. En cet instant-ci elle est au cours d'histoire. Y revient après cet aparté avec elle-même. Se met à l'écoute de l'Histoire de France.
— ... L'époque fut tellement terrifiante qu'elle en a conservé le nom « la Terreur ».
— Mademoiselle !
Le doigt d'Agnès se lève, en demande d'interrogation. Interrogation qui lui est accordée avec bienveillance. N'est-elle pas une de nos meilleures élèves !
— Mademoiselle... Louise, la « bonne Louise », n'était pas une méchante femme, pourtant ?

Mademoiselle, sourcils froncés sur une recherche infructueuse, prend à témoin ses élèves — qui, n'en sachant rien, sont prêtes à la soutenir — de son incompréhension.

— Je ne vois pas de Louise en 1789... Il y a bien eu Charlotte Corday, qui tua de sang-froid Marat dans son bain. (Un sourire glorieux sur le pâle visage, que l'on ne peut soupçonner d'avoir jamais reçu l'offense d'un fard.) Mais une Louise... ah ! la princesse de Lamballe était née Louise de Savoie. Serait-ce d'elle...

— Je ne crois pas. Il s'agit de Louise Michel, mademoiselle, je viens de lire un livre sur elle.

Un petit cri d'effroi. On dirait que Mademoiselle a vu une souris.

— Louise Michel ! Mais c'est la Commune, Agnès ! Comment pouvez-vous mélanger la Commune et la Révolution française ?

Une telle erreur ! Agnès l'aurait-elle fait exprès ? À se le demander ! Des « ouvriers » révoltés ! — rébellion matée immédiatement, Dieu soit loué ! — envoyés au bagne. Plèbe grouillante qui osa se lever. Rien à voir avec la Grande Révolution, faite quand même par des nobles et des bourgeois. Et puis *La Marseillaise !* — Mademoiselle se lève chaque fois qu'elle entend l'hymne national — un roi y était mêlé... en y perdant la tête, mais, quoique guillotiné, il reste Louis XVI.

Othilie Bailly

Rien à voir avec ces plébéiens de communards, même pas dignes de figurer au programme du cours d'Histoire !

Agnès rougit sous les rires de celles qui, une seconde auparavant, n'en savaient pas plus qu'elle.

1789 et 1871... un siècle, deux empereurs, un roi, opposent ces deux dates.

— Comme on étudie la Révolution, j'ai lu un livre...

Peut-elle dire sans ridicule : « Je me suis trompée de révolution » ?

Un geste d'indulgente patience de Mademoiselle — que tout cela éloigne de son cours — coupe court à la honte d'Agnès ; une distraction qui ne lui ressemble guère. Au bourdonnement de la confusion s'ajoute celui du « pourquoi ? ». Ne serait-ce pas parce que cette rébellion populaire — qui n'est pas si lointaine — est plus réelle, moins « historique » que la « Révolution » ? Un de ces communards aurait pu être le père de mémé : mon arrière-grand-père. La guillotine et le bagne ont été supprimés, mais à Aix il y a toujours la ville haute où nous habitons, et la ville basse où vit mémé. Elle a raison : maman aurait mieux fait d'épouser quelqu'un de son milieu. Elle a raison aussi quand elle dit : « On a beau n'être que des gens du peuple, on a sa fierté ! » Maman n'a pas

76

de fierté. Elle est devenue tout humble devant papa, lui obéissant, ayant toujours peur de mal faire... comme une esclave !

Si elle avait écouté grand-mère... je serais la fille de qui, aujourd'hui ? De papa et d'une inconnue, ou de maman et ? De toute façon ce ne serait pas MOI.

6

Côté rue : la haie des mères. Belles, distinguées Méridionales ; Aix-la-Snob. Le long du trottoir, les voitures ; la planche du cul-de-jatte : impossible de se déplacer sans elle !

Côté Institution : Bibasse surveille les élèves qui s'en échappent, elles se doivent d'être calmes et réservées. Pas de gaieté ni de galopades intempestives ; embrassades filiales parce que cela se fait. Coups de klaxon, discrets, des mères qui ont jugé inutile de descendre de leur auto pour y remonter aussitôt, munies de ce seul bagage, leur fille ; on siffle son chien, on klaxonne sa fille. Les voitures démarrent. Bibasse, portière sans emploi, rentre chez elle, saluée par la dernière élève à franchir le seuil, frontière qui sépare la vie de son apprentissage.

— Bonsoir Agnès.

— Adieu mademoiselle.

En Provence — mais Bibasse est issue d'un lieu inconnu — on ne dit pas au revoir ni à demain. Ce en quoi on a raison : la seconde suivante est résolue par un être énigmatique qui ne la dévoile que lorsque, future, elle est devenue présent.

Les mères repartent avec leur progéniture chérie. L'an dernier encore, Agnès, la bouche cachée derrière sa main — enfantillage — leur tirait la langue. À présent, elle passe sans les voir, les entendre. Ce soir, pourtant, elle les regarde, pour bien se pénétrer de leur présence. Les voir pour ne plus jamais les voir. Elles (les mères), pas plus que les autres jours, n'aperçoivent Agnès. Et c'est comme si elles la montraient du doigt.

J'étais sûre que maman ne viendrait pas à midi me « chercher » comme un objet perdu ! Au début je m'étonnais que les profs me demandent toujours des nouvelles de mon père, jamais de ma mère. J'ai mis longtemps à comprendre.

Ici maman n'existe pas ; je suis née de mère inconnue. Elle est si belle, maman, tellement plus que toutes ces bonnes femmes qui viennent en

auto — *même si elles habitent à trois mètres —*
pour échanger des «Bonjour ma chère... comment
allez-vous ? » Elles le savent bien comment elles
vont ! Maman, elle, viendrait à pied, — comme
moi elle aime les rues, s'y promener, voir ce que n'y
voient pas les autres — et personne ne lui adresse-
rait la parole. Je les déteste toutes, les mères et leurs
filles. Elles me regardent « de leur haut », comme
dirait mémé. C'est pour ça que je suis toujours la
« première », la « meilleure élève » ; pour leur en
faire baver !

Exact... ? C'est la vérité d'Agnès.
Les voitures-kidnapping se sont enfuies dans
un autre monde, pas si lointain pourtant puisque
celui-ci a été forgé par celui-là. Du milieu de la
rue, les pigeons, dérangés, se sont enfuis. Ils vont
place des Prêcheurs, mais, aimant les habitudes,
reviendront se poser devant l'Institution ; espé-
rant de Jeanne d'Arc une manne providentielle,
et, en l'attendant, roucouleront et roucouleront.
Un d'eux, peut-être, lâchera le groupe pour s'en-
voler vers d'autres lieux.

Je ne suis pas vieille mais j'ai toute ma vie
derrière moi. Il me manque quoi pour qu'elle

81

soit complète ? D'avoir été amoureuse, dirait ma grand-mère... qu'est-ce que cela pourrait y ajouter ? Encore plus de chagrin... et, de toute façon, comme tout finit par une désillusion... la mort c'est la désillusion de la vie.

— Vous rentrez seule, Agnès ? Votre maman n'est pas venue vous chercher ?

C'est Mademoiselle Histoire de France. Celle dont l'histoire de la Bonne Louise a été sûrement la flèche empoisonnée de son cours. Elle a sa voix fausse-aimable ; flèche pour flèche :

— Sans doute les soucis du ménage...

Agnès sourit. Ce sourire angélique, aussi hypocrite que celui des dames de l'Institution.

— Non mademoiselle, pour le ménage, il y a Mireille. Mais je préfère rentrer seule pour mieux voir Aix, Aquae Sextiœ. (Pédante, va ! Je m'amuse bien...) Mieux que moi, bien sûr, vous savez son histoire...

Agnès récite, d'une voix posée :

— C'est seulement cent vingt-deux ans avant Jésus-Christ qu'Aquae Sextiœ a été fondée par les Romains. Mais les sources d'eau chaude y étaient connues bien plus tôt. De l'an 300 à l'an 536 les Francs s'y établirent et les Sarrasins, qui leur succédèrent, n'en furent chassés qu'en 870 par

Guillaume, comte de Provence. En 892 il y eut la Grande Peste. Les cimetières étaient si pleins qu'on ne savait plus où enterrer les corps des pestiférés. Savez-vous (« Savez-vous ? » au prof d'Histoire !) que Nostradamus croyait avoir trouvé un médicament anti-peste ? Peut-être l'avait-il vraiment trouvé ?

Pensive, Agnès, à la manière d'un historien posant une question, sans attendre de réponse. Qui pourrait la lui donner ? Sûrement pas le prof d'Histoire ! Sait-elle, aussi bien que l'élève, la vie tourmentée et merveilleuse, comme un fabliau, de sa cité ? « Sa » : Agnès sait que Mademoiselle n'est pas d'Aix, mais de Nice, la ville italienne, la ville qui se vend à tous ceux qui la paient, la ville prostituée que renie la Provence.

— Qu'en pensez-vous, mademoiselle ?

Mademoiselle coupe court à ce cours d'Histoire, remettant les choses en leur actualité.

— Bien sûr, votre père est d'accord...

qui entraîne cette réponse formelle :

— Évidemment, Mademoiselle. Lui aussi est d'Aix. Nous en sommes une des plus vieilles familles, vous savez. Aussi loin que je remonte dans notre généalogie... (yeux rêveurs, fixés sur un arbre dont les feuilles sont des noms, Agnès savoure l'exaspération de « la Niçoise ») tous mes aïeux sont d'Aix. Noblesse de robe, disait-on. Du

côté maman, c'est la ville basse, les plébéiens...
mais d'Aix !

Aix la Brûlante, Aix la Diabolique et la Sainte ;
la cruelle aussi, où l'on pendait aux portes de la
ville les têtes des ennemis vaincus. Que peut-
elle y comprendre, cette étrangère ? Jamais, jusqu'à ce dernier jour, Agnès n'avait parlé ainsi ;
n'avait jeté, à la face du professeur, la ville et la
mère, aimées pareillement. Aujourd'hui elle
peut tout se permettre. Tout = Vérité.

Un carrefour permet à Mademoiselle de s'échap-
per. Hors l'Institution elle n'est qu'une femme
parmi d'autres et ne peut mettre un double zéro
à cette étrange enfant que, jusqu'à présent, elle
considérait comme une élève. L'élève, momentanément, ne serait-ce pas elle ? Un problème
qu'il est impossible de poser et dont la solution,
sans données, est cette fuite.

Agnès regarde la rue, de nouveau à elle seule.
Comme ce jour est magnifiquement long... Un
jour sans fin. Il n'y aura plus de soleil pour qu'un
autre jour se lève.

Ses pas la dirigent vers Saint-Sauveur. Ses pas ?
Non, sa pensée. C'est pourquoi sans doute ses
pieds ont pris le chemin de la cathédrale comme
il y a un... deux mois.

Elle était entrée dans la grande cathédrale dont
les colonnes du baptistère sont celles du temple

d'Apollon sur lequel elle fut construite, mêlant ainsi paisiblement et harmonieusement religions païenne et chrétienne. Dans deux mille ans... mais qu'importe à Agnès ce qui se passera dans deux mille ans ! Deux mille ans c'est aussi loin, aussi inaccessible que demain.

L'immense solitude de l'église abolie par deux femmes âgées, agenouillées près d'un confessionnal. Le prêtre de service y est dissimulé, en attente des rares pénitents. Quête d'absolution qui aboutit à ce guichet où officie l'églisier.

Dans la guérite se tient, invisible, immobile, celui qui de droit divin efface tous les crimes. Agnès s'y est agenouillée :

— *Bénissez-moi mon père, parce que j'ai péché.*

Un silence. Long. Le temps du confiteor qui ne se dit plus. Il faut simplifier pour gagner du temps. Lequel ? Sauf ces deux paroissiennes et cette enfant, personne n'est en attente du confesseur. Cependant, derrière son grillage, le prisonnier de Dieu s'impatiente :

— *Je vous écoute ma fille.*

— *Je m'accuse d'avoir tué mon père...*

Les crimes de ses pénitentes n'ont jamais dépassé le pire : celui d'adultère. Redevenu humain,

85

momentanément, l'homme de Dieu ne peut retenir son cri :

— *Que dites-vous ? Que venez-vous de me dire...*

C'est impossible, il a mal entendu... cette enfant, car c'est une enfant, il en devine la forme à travers le grillage le séparant de celle qui, de son plein gré, avoue.

La voix claire, calme, redit :

— *Je m'accuse d'avoir tué mon père.*

Ce ne peut être qu'...

— *... un accident ! Vous n'en êtes pas responsable...*

Une phrase comme un espoir. L'homme n'arrive pas à rentrer dans sa peau de prêtre.

Dans la rue où elle flâne, Agnès se revoit, agenouillée dans ce confessionnal. Comme une image pieuse que l'on retrouve, oubliée dans un vieux missel : le prêtre auréolé de la gloire du Seigneur qui lui a imparti ses pouvoirs et l'enfant qui s'accuse.

Le premier choc reçu, K.O. pour un boxeur, il tente de se ressaisir : quelque part, un arbitre doit compter les secondes qui le ramènent à la vie spirituelle.

De cette voix posée, anodine, anonyme, des confesseurs et des psy, ne sont-ils pas confrères ?, il demande :

— Racontez-moi comment cela s'est passé, ma fille.

C'est fait. Spirituellement délivré du lourd fardeau du juge, il parle avec sérénité. Seul son cœur bat au rythme des tambours, la chamade, dirait Françoise Sagan. Faux. C'est la breloque qu'il bat.

L'enfant a une voix métallique, une voix de fiction, comme celles qui, invisibles, disent : « Veuillez patienter, une opératrice va vous répondre. »

C'est de cette voix inhumaine qu'elle récite. Oui, elle récite, comme une leçon que la morale lui aurait enseignée :

— Voilà, le dimanche matin je porte (elle devrait dire « je portais ») son petit déjeuner à papa, au lit... Ce matin-là j'ai mis dans son café au lait du poison.

Du poison ? On ne l'achète pas chez l'épicier comme une botte de navets... et puis, quel poison ?

— Où vous l'étiez-vous procuré ?

Et la voix tranquille :

— C'est maman qui me l'avait donné pour que j'empoisonne papa.

Le temps pour le prêtre de cacher dans ses mains sa face humaine, jaillit, vers son Dieu, une prière.

— *Parce que c'est votre mère qui...*

— *Oh non ! Pas ce jour-là ! Il y a très long-*
temps, un an peut-être... J'avais refusé. Après,
maman m'avait dit qu'elle était en colère ce jour-
là — papa avait été très méchant — mais qu'elle
avait eu tort. Elle avait oublié de reprendre le
poison et je l'avais gardé. Elle ne s'en était pas
aperçue.

Ce pourrait être une histoire sans importance,
racontée sur ce ton paisible, un soir, dans une
maison de campagne, au coin d'une cheminée
où brûle un feu de bois.

— *La veille de ce dimanche-là, celui où je l'ai*
empoisonné, il avait encore fait une scène épou-
vantable à maman.

— *Que lui avait-il dit ?*

Question réflexe, trop humaine : qu'importe
au prêtre. Il n'est là ni pour juger, ni pour
comprendre, mais pour absoudre au nom de
Dieu.

— *Oh ! qu'elle était une putain — pardon,*
mon père — que je n'étais pas sa fille à lui, et
patati et patata...

Elle continue de cette voix innocente et acidulée
de petite fille.

— *Maman avait pleuré toute la nuit — Je crois*
que papa l'avait battue aussi — Je l'entendais
sangloter et crier de ma chambre. Alors, le matin,

le poison que j'avais gardé je l'ai mis dans le café de papa sans rien dire. Maman n'est pas responsable.

Sur la dernière phrase la voix s'est durcie, véhémente. L'enfant s'accuse, elle. Pas sa mère : celle-ci doit être à l'abri de tout soupçon.

Le prêtre n'est plus homme de la terre ni homme de Dieu. Une oreille. Il écoute, captivé par cette voix récitante. Une toile d'araignée dans laquelle il s'englue. Dont il n'arrive pas à s'arracher.

— Et... et vous avez donné ce café à votre père...

— Oui. Je lui ai dit « bonjour papa » et je l'ai embrassé, comme d'habitude. Je suis ressortie de la chambre. Vite.

Il a joint les mains en cette prière muette, n'écoute plus la voix de l'enfant. Est à l'écoute de celle de son Dieu. Que doit-il dire ? Faire ? Ce n'est pas avec trois pater et deux ave qu'il pourra absoudre... Seigneur, éclairez-moi !

Et pourtant quelque chose en lui s'étonne, qui dérange sa conscience (peut-être une réponse à sa muette supplication) le fait appeler toute sa foi à son secours. Cette enfant... douze, treize ans, il lui semble la connaître, l'avoir déjà vue... aperçue en tout cas. Ce... parricide... une enfant de bonne famille sûrement... poussée par sa mère ? Mais... mais...

Humblement, il avoue :

— *Je ne sais que vous dire ma fille ! Bien sûr, le secret de la confession. Vous n'avez rien à craindre, par moi, de la justice des hommes, mais celle de Dieu ? Que vous donner comme (de nouveau ce cri muet « Seigneur, éclairez-moi ! »), comme pénitence ?*

L'humain reprend le dessus. Quand on a découvert le cadavre...

— *Que s'est-il passé quand on a vu votre père... mort ?*

Remords : est-il divinement légal de poser cette question humaine ?

Un silence. Ce silence qui sépare la réalité de l'irréalité.

Une voix, une autre voix, celle d'une fille de treize ans, raisonnable.

— *Mon père, je m'accuse d'avoir menti. Je n'ai jamais tué papa.*

Soulagement. Furioso :

— *Alors, pourquoi m'as-tu raconté...*

Et tranquille, sûre d'elle, sachant le poids des mots, Agnès :

— *Parce que j'ai pensé le faire. L'avoir pensé, c'est aussi grave que l'avoir fait...*

Un silence. Une interrogation :

— *Non ?*

Elle a la voix de l'innocence. Se fout-elle de

lui ? Ou, réellement, s'est-elle déchargée d'un remords ?

Peut-être de n'avoir pas fait ce qu'elle a conté.

Le saint homme ne rentre pas, avec raison, dans ce labyrinthe où Lacan se serait perdu. Avec un pervers plaisir.

7

Devant le porche de la cathédrale, des jeunes, rieurs, ont monté un étal de fortune. Ils y vendent pizzas et gâteaux faits à la maison. Les clients se pressent, la marchandise part vite.

— Gardez-moi un gâteau, dit Agnès, je le prendrai en sortant.

Ils lui font un sourire de promesse, comme à une petite sœur, et choisissent le plus beau, qu'ils mettent de côté pour elle.

À peine plus loin, un mendiant professionnel : à droite son chien, à gauche son chat. Chacun avec sa sébile. Agnès met une petite pièce dans celle du félin ; en mémoire du chat roux.

Son offrande à Bastet faite, elle entre dans

l'église, s'arrête dans le narthex réservé autrefois aux catéchumènes qui n'avaient pas le droit, le péché originel n'ayant pas encore été effacé par le baptême, de pénétrer dans le sanctuaire. Devenu simple antichambre de la demeure de Dieu, il est toujours séparé d'elle par des portes sévères. Lieu non sanctifié, des communiqués annonçant messes, offices, nouvelles paroissiales y sont affichés, qu'Agnès lit avec attention. Un concert aura lieu en l'église le 4 juin. Musique faite pour ses cérémonies puisque le compositeur en est le prêtre roux, Vivaldi. Elle connaît *Les Quatre Saisons ;* papa les lui a fait entendre et aimer quand... papa !

Entre dans la nef, Agnès, et est accueillie par l'ample voix des grandes orgues. Dans le chœur tout or et pourpre, se déroule le somptueux spectacle des prêtres en aube blanche barrée de vert. Devant l'autel, demeure temporelle de Jésus, ils officient suivant le rituel qui, ici, n'a guère varié au cours des siècles.

Messe donnée pour Elle, en son honneur. Le dimanche matin c'est la messe de maman, mais ce jour-ci, à cinq heures, c'est Ma messe à Moi.

Ici, Agnès peut penser, en accord parfait avec elle-même, à son jeune passé.

À côté d'elle, une vieille femme moud les prières, qu'elle relit pour la millième fois dans son missel. Jette un coup d'œil bienveillant sur cette enfant pieuse qui a dû les recopier sur le cahier d'écolière qu'elle a ouvert.

Agnès relit un passage de son journal. Ce n'est pas irréligieux. C'est à Dieu seul qu'elle peut le faire entendre. Jusqu'à cet instant elle n'a pas pu les relire — pas eu le courage — ces pages où elle a consigné, comme dans un rapport de police, la haine de son père, ce qu'elle a compris ce jour-là. Avec effroi, stupéfaction.

— Kyrie elerson, clame l'officiant, Divin créateur, ayez pitié...

Ce soir ç'a été grandiloquent. On aurait dit du Victor Hugo. Papa m'a fait lire Les Misérables. *Totor j'aime pas, mais papa adore. Il doit plaider comme ça, avec de grandes envolées de voix.*

Je suis arrivée juste au milieu du drame. Maman se défendait.

— ...à cause de ma naïveté !

Papa a ri, mauvais.

— Tu n'étais peut-être pas tellement naïve ! Tu connaissais la pilule, non ? Seulement, dans Mon Milieu — oh ! là là, qu'est-ce qu'il y mettait comme majuscules ! — quand on dépucelle une fille... mais la fille d'une bistrotière ! (« bistrotière » ça sonnait pareil à un gros mot) qui aurait pu

deviner que tu étais vierge ? Et qu'on lui fait un enfant, sans l'avoir voulu ! On l'épouse...

— *Ce que tu as fait pour moi ! Merci. Tu aurais aussi bien pu me faire avorter, j'étais consentante.*

— *Je suis catholique, tu le savais très bien, et en accord avec Jean-Paul II.*

Oh ! pourquoi maman ne s'est-elle pas fait faire une I.V.G ? Je ne serais pas là !

Épître : « Mon Dieu, vous m'avez appelé à la connaissance »...

Papa a vu les larmes sur sa joue et a sans doute eu un peu de remords.

— *Et puis j'étais très amoureux de toi. Tu étais si ravissante...*

Elle est toujours aussi jolie, maman. Sur le Cours Mirabeau, j'ai bien vu que les hommes se retournent quand elle passe.

Enfin c'est comme ça que j'ai appris que grâce au pape j'existe. Et que je ne suis pas la fille d'une mère célibataire. Merci Votre Sainteté, mais je crois que j'aurais préféré.

Papa ne m'a pas vue. J'étais pareille à une statue, devant la porte. Maman, oui. Elle a dit :

— *Tais-toi. La petite est là qui t'entend.*

Il m'a regardée. A ouvert la bouche. L'a refer-

mée. On aurait dit un gros poisson qui vient d'avaler un hameçon et il est parti dans leur chambre. Moi, je suis allée dans la mienne. Heureusement, elle est avant le salon.

Autour d'Agnès, les quelques fidèles qui sont là s'agenouillent pour l'élévation. Elle les regarde, étonnée, si hors du rite sacramentel, et puis voit le prêtre qui élève l'hostie et, à son tour, se met à genoux ; mais la prière que semblent murmurer ses lèvres est la dernière phrase de ces lignes qu'elle a écrites.

... je n'aurais même pas pu embrasser maman, j'étais trop malheureuse.

— Ite missa est.
proclamé à voix forte, clôt la cérémonie. Les hommes de Dieu, précédés par les enfants de chœur, balancement rythmé des encensoirs, se retirent avec une lenteur solennelle. La messe n'est-elle pas un sacrifice ; le symbole de la mort terrestre et de la vie divine ?
Ce sont ces gestes des prêtres, ce ballet mystique où les représentants du Seigneur se croisent,

se recroisent dans un cérémonial ancestral, qui arrachent à elle-même Agnès, lui donnent cette joie charismatique. Beaucoup plus que l'hostie distribuée les jours de communion et dans laquelle elle a toujours eu du mal à ressentir Dieu.

En une lente procession, les acteurs de cette représentation divine passent devant elle.

Comme à regret les derniers fidèles se retirent.

Les prêtres disparaissent dans la sacristie. Ils n'en ressortiront, dans la même tenue, que pour un autre office, pas avant demain. Mais, de suite, en surgissent des hommes, chemise col ouvert, qui vont se mêler à la foule.

Un prêtre s'est attardé, se dirigeant vers un petit bureau aux papiers bien rangés, qui pourrait être celui d'un économe. Il lève des yeux étonnés vers l'enfant en robe bleue qui se tient, intimidée, dans l'encadrement de la porte.

— Vous voulez quelque chose ?

Elle avance d'un pas. Hésite :

— Mon père, je voudrais qu'une messe soit dite...

Soixante-dix francs : elle avait lu l'annonce, explicite, dans l'entrée.

Il y a longtemps, dans les siècles écoulés, une amende était exigée comme rançon de la péni-tence corporelle. Une flagellation, deux jours de jeûne, se soldaient avec quelques écus, et tout le monde était satisfait : la dame qui n'avait pas envie de voir marbrer son beau corps de coups de fouet, et l'Église, dont les bons sentiments avaient constamment besoin d'argent frais.

En notre époque moderne, trois ave et deux paters ne peuvent être monnayés. En revanche, le Saint Sacrifice est vendu — pas cher.

— ... pour ma sœur défunte.

« Défunt » est le mot qu'il y avait d'inscrit au-dessus du prix.

Gauchement, elle tend, gênée, l'enveloppe dans laquelle elle a glissé le billet de cent francs qu'à midi lui a donné sa grand-mère et que l'abbé, lui, prend sans gêne — sûrement ses parents qui l'envoient...

— Comment s'appelait votre sœur ?

— Agnès.

Il réfléchit à une date de libre pour une messe commémorative.

— On pourrait la célébrer... voyons... lundi ? Votre sœur est morte...

— Aujourd'hui.

Il a un geste d'homme surpris, pas de prêtre : paternellement, il lui caresse la joue.

— Vous avez beaucoup de peine, je comprends...

Agnès le regarde. Ce même regard qu'elle avait eu pour la femme, devant le chat roux.

— Non. C'est mieux comme cela.

Elle s'est retournée vers le chœur avant de quitter définitivement la cathédrale ; passe, en les saluant comme des amies préférées, devant les statues qui habitent ce lieu.

La Vierge au chien couché : ce chien noir rampant aux pieds de Marie, Agnès sait qu'il est l'incarnation du démon maté par la Mère de Dieu.

Insolite, une sulpicienne statue de Sainte Thérèse de l'Enfant-Jésus, devant laquelle une âme pieuse a déposé quelques roses. Agnès sourit : aux roses, à la petite sœur de Lisieux qui, ici, dans la vénérable et austère cathédrale, semble désemparée comme une jeune fille modeste reçue dans un milieu tellement au-dessus d'elle qu'elle ne pouvait pas l'imaginer.

« À dix ans je voulais tour à tour devenir comédienne ou entrer au couvent. »

Shakespeare est au programme du cours de littérature. Ils seraient bien, ces prêtres si grands, si majestueux dans leur costume d'autel, paradant ainsi sur scène. Leurs voix graves remplaçant

... Dominus qui fecit caelum et terram

par

J'ai treize ans et je vais me tuer

It is a tale told by an idiot
Full of sound and fury
Signifying nothing*.

Agnès ne doit pas connaître ces vers icono-
clastes, sûrement expurgés, par Mademoiselle
Littérature, de *Macbeth*. Pourtant, sans le savoir,
sa pensée rejoint celle du dramaturge. En cro-
quant le cake-maison, acheté comme promis aux
jeunes marchands du temple — mais ceux-là,
Jésus ne les aurait pas chassés —, il faut que
papa soit fou, ou maman, ou moi, ou tout le
monde...
L'animation du parvis avec ses figurants —
fidèles, pâtissiers et mendiants — semble bien
celle d'une comédie dont elle ne gardera aucun
souvenir mais dont elle veut profiter jusqu'à sa fin.
Pour son nom, Agnès prend la « Rue des bou-
quinistes obscurs ». Aix, seule ville où l'on peut
donner à une rue un nom qui semble avoir été
volé à Apollinaire.
Place de l'Horloge. Merveilleux et médiéval
décor ; des hommes masqués, en justaucorps
de cuir, se livrent à une démonstration d'arts
martiaux. Aix-en-Japon ?

* La vie est un récit conté par un idiot,
Plein de bruits et de fureur
Et qui ne signifie rien. (*Macbeth,* acte III).

101

La messe à la cathédrale, une joute sur la place de l'Horloge... la ville gâte une enfant chérie.

Devant la tour romaine s'exclament les badauds, Agnès au premier rang.

— Non, dit le combattant qui, jeu terminé, masque enlevé, sourit à la curieuse qui l'interroge. Non, nous ne sommes pas japonais — l'accent méridional affirme son dire — et ce n'est pas non plus une démonstration d'arts martiaux... mais la reprise d'un jeu qui se donnait autrefois à Aix, une sorte de tournoi pour bourgeois où la lame d'acier était remplacée par le bâton de bois.

Il explique, grave :

— C'est surtout un travail sur soi.

Agnès, d'un clignement de paupières, acquiesce ; elle a compris. Son corps à elle sait ce travail de volonté.

— Nous l'avons repris exactement, avec les figures et les passes de l'époque. Il n'y a pas — il touche le cuir de son justaucorps — que les règles de respectées ; le costume aussi est celui de nos aïeux.

Il rit, et elle avec lui, de confiance.

— Mais chez nous on ne les fabrique plus, alors nous les faisons venir du Japon où, par quel miracle ? —, l'homme s'entête, sûr de lui — ce divertissement provençal du XVIe siècle est parvenu là-bas et a pris place parmi les arts martiaux.

Agnès : son regard suit, très loin, à quatre siècles
de distance, une goélette qui quitte le port de
Marseille pour aller vers Gog et Magog, la fin de
la Terre. Avec, à son bord, cadeaux, jeux et secrets
de la civilisation. Il n'en est qu'occidentale.

Aix, la ville aux mille fontaines... L'eau jaillit de
partout en gerbes frémissantes, fuyant et s'offrant
— l'eau est femme — à tous ceux qu'elle attire ;
mille millions de gouttelettes, vivant arc-en-ciel,
qui essaient inlassablement d'atteindre l'inaccessible, le ciel. Prisonnières de la terre, elles
retombent dans le bassin, subitement calmées,
échappant à leur frénésie pour redevenir, l'es-
pace d'un instant, minuscule lac où s'ébroue un
dauphin de pierre, où un garçon de dix ans boit
dans le creux de sa main.

Devant chacune, Agnès s'arrête. Juste le temps
de s'en impressionner, image parmi toutes les
images de ces quelques heures. Sa vie est résumée
dans cette journée unique. Une journée parfaite
comme on voudrait qu'une vie soit parfaite.

Le musée du vieil Aix.

Il est tout petit, n'a qu'une salle — l'autre
est provisoirement, depuis très longtemps, fer-

mée. Le gardien connaît Agnès et se réjouit de la voir.

Dans la salle ouverte, une grande vitrine tient presque toute la longueur. Derrière le verre, des marionnettes, scrupuleusement, reproduisent les jeux de la Fête-Dieu. Marionnettes qu'une animation invisible rendait vivantes : peuple lilliputien. Leur mécanisme cassé, elles se sont immobilisées dans le cruel jeu du chat. Étonnamment le Talmud est de la fête chrétienne... les juifs idolâtres, se détournant de Moïse, portent un chat emmailloté qu'ils se jettent de l'un à l'autre, le lançant et le rattrapant comme un ballon. Mais dans le désert du musée, les marionnettes articulées sont prosaïquement en panne et nul Éphraïm, en ces temps chrétiens, ne les remet en marche. Le chat jeté en l'air y reste suspendu. Immobile, il repose au-dessus de ses persécuteurs, et Agnès en est contente.

En dernier acte du spectacle inanimé marche la Mort, pour faire se souvenir à l'homme que, quoi qu'il ait fait de sa vie, qu'il ait été bon ou mauvais, elle sera inéluctablement sa Fin.

Le gardien du petit musée a conté à Agnès tout ce qui se passe — se passait — dans la médiévale procession. Il a souri quand est entrée la petite fille en bleu, qui, souvent, en sortant de classe, vient, ici, prendre un autre cours d'Histoire. Sa venue, c'est comme un cadeau qu'elle lui fait.

Agnès a quitté l'ombre pour le soleil, les siècles passés pour l'aujourd'hui, si vite passé.

Sur le Cours Mirabeau, une blanche statue, figée dans ses plis d'étoffe-pierre, et sa figure impassible.

S'arrête, ravie, Agnès, devant la vivante statue : le mime capable de garder des heures durant cette immobilité, sans qu'un muscle de son visage, un pli de son costume, ne bouge. À ses pieds, une petite corbeille dans laquelle s'accumulent les pièces... à Aix on ne mendie pas, on fait la manche et on donne un spectacle en échange de l'obole.

Elle sort de sa poche la pièce gardée pour lui — entre eux une complicité muette — et la pose parmi les autres. Il lui fait un clin d'œil ; pour elle seule. Seule à le voir. Déjà le visage est redevenu impassible, figure de craie.

Le chemin qui mène à la fin de la journée passe parmi le marché des artisans qui se tient tout au long du cours. Agnès s'amuse des étals de fleurs séchées et de faïence où s'arrêtent les chalands.

S'arrête, elle, devant les nœuds et les chouchous, faits, tous, en tissu de Provence, son doigt pointé sur un, lavande. Elle le prend, le retourne, déjà femme, le place en regard de sa robe pour voir si les couleurs s'harmonisent.

— Combien ?

— Dix francs, mais pour toi ma jolie ce sera cinq seulement... et je te le pose, laisse-moi faire. Les doigts habiles glissent entre les cheveux.

— De la soie... regarde-toi dans la glace ! Et tu peux le mettre avec une autre robe : la lavande, ça va avec tout.

— Une robe blanche ?

— Eh ! je pense bien... tu seras belle comme un cœur !

Flâne dans les rues aux noms, qui l'enchantent, des métiers d'autrefois, rue des Cordeliers, rue des Cordeurs. Près de l'hôtel de Château-Renard (un renard qui avait un château, pourquoi pas ? Peut-être se transformait-il en hardi jouvenceau pour le sourire d'une belle), il y a le libraire qui expose, dans une luxueuse édition, ce livre où, en passant ce matin, elle avait cueilli, et gardé précieusement en esprit, les vers du poète oublié :

« Si je suis mort sans l'avoir su
À qui vais-je demander l'heure ? »

Elle les relit à voix basse, pour son seul plaisir. Les vers qui l'attendent derrière le miroir :

Si je suis morte...

La rue blonde se teinte d'ocre... son silence soudain transpercé par les cloches qui sonnent le glas de l'heure précédente et annoncent triomphalement celle qui lui succède.

Quatre... cinq... six... compte Agnès. Est-ce la grande Horloge ou Saint-Sauveur qui le lui annonce ? Peu importe. Elle dit adieu à Aix et se dirige vers la Via Aurélia.

Le rougeoiement du soleil fait de braise le fil tendu au travers de la rue, du toit d'une maison à un autre...

Sa ville n'a pas voulu que ce jour se termine sans un signe.

8

Agnès en robe bleue.

Elle est dans Sa rue, devant Sa maison. Sur le mur, à droite de la porte ouvragée, une plaque qu'elle regarde intensément : « Ancien hôtel de Galicie, XVIIe siècle ». Lui dédie son sourire.

Se retourne pour voir, une dernière fois avant d'entrer, la Via Aurélia paisible, que maquille le mauve du crépuscule.

La pénombre fraîche de la maison ; l'escalier, ses larges marches de pierre — soixante-quinze pour arriver au dernier étage, le troisième, celui de leur appartement — usées par (elle en a fait le calcul) cent quarante-six mille jours où, bottes de cavaliers, chaussures de dames, se sont posées, vives ou pesantes, sur elles, leur donnant cette patine. À son tour en prend possession : sa main sur la rampe de fer forgé que tant de mains, jeunes et vieilles, ont caressée.

La vie de l'hôtel de Galicie, car il a sa propre vie, est faite de ces multitudes de mains, de pas, de gestes. Si l'on prête l'oreille y résonnent des rires éteints, des paroles, échangées, de politesse. Toutes choses plus accessibles à l'imagination que les visages. Aussi sont passés par là, les cercueils portés par des hommes dignes et calmes, suivis de femmes en pleurs. Elle en voit le flou et sombre cortège. Papa, maman, moi, un jour nous redescendrons ainsi l'escalier.

Elle prend ses clefs dans son cartable d'écolière, ouvre doucement la porte. L'appartement est là qui l'attend. L'attend, elle seule. Referme avec la même douceur lente la porte.

Tout ici est silence et calme, harmonie. Agnès se dirige vers sa chambre qu'elle aime ; sa mère la lui a composée avec tendresse pour ses sept ans. « Puisque tu as l'âge de raison, il te faut une chambre de grande fille, plus celle d'un bébé. »

Le lit étroit, gris-bleu, date du temps où les jeunes filles murmurant, les larmes aux yeux, les vers d'Alfred de Musset, croyaient mourir d'un amour imaginaire. Il a été déniché par sa mère dans un grenier campagnard ainsi que la table de toilette au dessus de marbre blanc, sur lequel sont posés à la façon d'autrefois la cuvette et son pot à eau. Agnès les avait vus chez un antiquaire et, à l'étonnement de son père « Tu n'aimerais pas mieux... je ne sais pas, moi, un jouet, des livres... » avait demandé qu'on les lui offre pour un Noël.

Une chambre romantique où un berceau ancien de poupée et le vieil ours qui a perdu un bras mettent une note enfantine. Une chambre en vérité qui ressemble tant à Agnès qu'on n'imagine pas qu'elle puisse en avoir une autre. Un jour papa a dit : « Ce n'est pas une chambre d'enfant ! » Je l'ai regardé, j'étais furieuse : « Non... c'est Ma chambre à Moi ! »

Elle abaisse le pupitre du secrétaire aux tiroirs secrets ; y dépose le Cahier qu'elle vient de prendre parmi les autres, tire la chaise provençale, paillée, et s'assied pour en reprendre la lecture.

Saute les premières pages lues ce matin ; pourtant marque un arrêt sur le souvenir de ce dimanche exceptionnel parce que heureux. Le seul de toute l'année. La page suivante, c'est ce jour qui rejoint les autres jours vécus dans la crainte du soir, la crainte certaine de ce qui va arriver.

Le regard, toujours triste, de maman quand je rentre. Sa petite phrase pleine d'appréhension « ton papa n'est pas encore là... » ou de soulagement parfois, comme ce soir «... nous allons passer à table sans l'attendre ; il est obligé de dîner dehors, il m'a téléphoné ». Ce n'est pas vrai ; c'est moi, une fois, qui ai répondu au téléphone et c'était la secrétaire qui appelait. Papa ne prend même pas la peine de le faire lui-même. Elle est sympa, « Mademoiselle Cécile », une vieille fille... son visage est toujours pareil, comme si elle ne pensait à rien, mais ses yeux sont tellement bons. Et elle était déjà là avant ma naissance ! Je l'aime bien mademoiselle Cécile. Elle vit bien sagement avec sa maman. « Agnès, votre papa m'a chargée de téléphoner. Il ne peut pas le faire lui-même, il est avec un client... » (Tu parles ! Elle me prend pour une idiote... non, elle est gentille, elle ne voudrait pas que j'aie de la peine, que je pense : « Papa ne nous aime plus... ». C'est aussi pour l'excuser : elle l'adore mais en même temps, elle s'aperçoit bien qu'il agit mal, alors elle doit être très malheureuse. Elle doit savoir, ou deviner beaucoup de choses. Quand j'étais petite fille nous allions souvent chercher papa à son cabinet ; en l'attendant, maman bavardait avec elle. Je suis sûre qu'elle était heureuse de leur bonheur à tous les deux ; comme si ça avait été le sien !) «... un client avec lequel il est obligé d'aller dîner. Dites à votre mère qu'elle ne l'attende pas ». Il y a eu un petit silence, j'allais dire au revoir et raccrocher quand elle a ajouté : « Il est désolé, vous savez ! » Ça sonnait tellement faux !

Oui « mère » est soulagée quand papa ne rentre pas dîner... moi aussi. Tout à l'heure, Mireille nous a embrassées avant de partir. Ce qu'elle ne fait jamais. Elle est « brave » comme dirait mémé.

Maman est soulagée... mais en même temps je vois bien qu'elle a de la peine. C'est pour ça que Mireille l'a embrassée. Comme lorsqu'elle était toute petite et qu'elle la consolait parce qu'elle avait un gros chagrin.

Tout de suite après dîner, elle est allée se coucher. Elle n'avait presque rien mangé ! « Tu peux rester pour regarder la télé, ma chérie... » Je suis certaine qu'elle ne dort pas ! Elle ne dormira pas tant que papa ne sera pas rentré. Je vais tâcher de faire comme elle ; il me semble que si je reste éveillée, maman est moins seule.

Matin

Je me suis endormie ! C'est toujours la même chose... mais cette fois je me suis réveillée quand papa est rentré. Je l'ai entendu qui parlait et j'ai entrouvert doucement ma porte : maman n'a pas *répondu d'abord, puis elle a dit quelque chose d'une voix bredouillante... pour faire croire qu'elle dormait ! Il s'est tu, et presque aussitôt la lumière s'est éteinte. Alors j'ai été me recoucher. Mais avant j'ai regardé ma montre : il était deux heures du matin.*

Je suis restée longtemps les yeux ouverts dans le noir, repensant à ce que maman m'a dit un jour. Est-ce que papa aime une autre femme ? Est-ce de chez elle qu'il arrivait ?

Je ne suis pas stupide... ce ne sont pas des choses dont on parle à l'Institution. Oh non ! Mais quand même... j'ai treize ans et avec la télé et les journaux ! Il faudrait vraiment que je sois demeurée pour ignorer que papa peut très bien avoir une petite amie !

Si je me tuais, Dieu ne m'en voudra pas. Puisqu'il est bon, il comprendra.

Ce n'était pas une faute de concordance de temps. Simplement une réalité future qui venait de s'imposer.

De toute manière, aujourd'hui ou demain... alors pourquoi être malheureuse ?

Cette phrase-là, elle se trouve au milieu du cahier. Juste six mois après qu'elle l'a commencé ; six mois avant qu'il soit fini.

Agnès feuillette négligemment, presque sans intérêt, les pages qui suivent. Toutes, elles se ressemblent ; ramassis de scènes et de méchanceté. Poubelle où s'amassent les détritus d'une « union sacrée ». Pourtant une ligne l'arrête : elle se souvient : ce n'est pas si loin, trois mois peut-être, on était encore en hiver. Mireille avait fait une flambée dans la cheminée du salon « c'est plus gai ! ». Tout prêt pour voir les flammes se pénétrer de leur vivante chaleur, Agnès relisait une leçon ; de temps à autre, un mot lui parvenait. Une soirée calme où, le feu aidant, sa crainte, en éveil, s'engourdissait.

Je te sers un whisky. Oui... non, pas pour moi, un peu de porto... qu'est-ce que tu as fait cet après-midi...

La banalité des mots quand on n'a plus rien à se dire.

— *Ah ! les notes de la petite...*

La petite, c'est moi ! Mais pour ça j'étais sans crainte, pas une seule de mauvaise.

Et puis, soudain, ç'a été comme une flamme qui se serait échappée de la cheminée. La phrase m'a brûlée. Je crois que j'ai crié. Papa venait de dire : « Qu'est-ce qu'il y a pour dîner ? » Je n'écoutais pas ce que lui répondait maman. Et :

— Sortie de ton pot-au-feu et des notes de ta fille, tu n'as rien à dire.

C'est vrai. Maintenant. Et bientôt maman se taira complètement. Autrefois elle parlait de tout et sa voix était comme une chanson. J'adorais ! À présent elle a une voix morne, sans couleur.

Elle n'a pas répondu, mais papa continuait. Il avait trouvé de quoi faire une scène et il l'alimentait avec des mots, comme lorsqu'on jette des brindilles dans le feu pour qu'il flambe plus fort.

— Je comprends mes parents qui ne veulent pas te recevoir. À cause de toi je suis obligé de les voir en cachette.

Sa voix montait de plus en plus haut. On devait l'entendre jusqu'au Palais...

— J'ai renoncé à la carrière qui m'attendait : m'associer avec mon père. Pour toi !

Il n'y avait que sa voix à lui, maman ne répondait pas. Et moi je n'osais même pas tourner les yeux vers eux.

Et puis, subitement, il y a eu une autre voix : celle de Mireille. Celle qu'elle prend quand il y a des invités.

— Madame est servie.

J'ai treize ans et je vais me tuer

Pour être servie, maman l'était. Je suis certaine que Mireille avait tout entendu, et que c'était moitié pour arrêter papa, moitié parce qu'elle pensait que ce qu'il « servait » à maman était vraiment trop méchant.

9

Le tiroir secret : que serait un secrétaire sans tiroir secret, et pourquoi s'appellerait-il secrétaire s'il n'était pas le dépositaire de nos secrets ?

Agnès a découvert le secret du secrétaire par hasard, ce qui est normal ; en caressant du bout des doigts le bois lisse et soyeux du petit bureau pour se l'approprier. Elle aime, de ses mains, prendre possession des choses afin de les faire siennes. Et là, derrière un conventionnel tiroir dans lequel elle range ses affaires d'écolière, elle a déniché celui qu'il cachait.

Ce renflement ne correspondait à rien... intrigant ! À l'étonnement de l'enfant — elle n'avait guère plus de neuf ans — en y appuyant son index elle avait vu glisser un panneau de bois

119

découvrant la cachette qu'il dissimulait. Nos aïeux, nos aïeules encore plus, adoraient ces endroits clandestins où musser une boucle de cheveux, une lettre dissimulée à un vieux mari... décevant : celui-ci était vide ! Mais devenu aussitôt plaisir puisque son repaire où pirate elle accumulerait ses précieux butins. Boucanier hardi ayant découvert des trésors prodigieux dont Agnès conte la fable à Agnès.

Elle les étale sur son cahier.

Que sont les lingots d'or, les coupes ciselées, les bijoux précieux, butin pris au voilier ou au dromon arraisonné, à côté de ce coquillage ? Elle l'a trouvé sur une plage, coquille vide, roulée depuis des millénaires par les vagues dont il était le jouet.

Et cette bille, volée à un magicien, qui, selon qu'Agnès la tourne, est rouge ou verte ou bleue. Elle le sait : le sulfure recèle une parcelle de bonheur, mais il faut, pour s'en emparer, trouver la couleur qui la contient et qui n'est jamais la même ; le mage en change la combinaison à chaque fois et on n'a droit qu'à une seule épreuve.

Le petit lapin blanc. Caché par une cloche, dans un œuf. Quand elle le trouva, un jour de Pâques, elle avait six ans. Jeannot en a sept maintenant.

La chouette, dont les ronds yeux jaunes la fixent avec sagesse, lui fut donnée, en mystère, par le garçon qui l'emmena un dimanche chez le santonnier.

Mais l'oiseau noir au bec rouge, d'où s'est-il envolé pour venir ici, y faire son nid ? Agnès n'en sait plus rien et ne l'en aime que mieux.

Le poisson aux vives couleurs, c'est la grande Jo qui le lui a rapporté de Saint-Martin où elle était allée avec ses parents. Plongeuse intrépide, l'eau est son élément. Le poisson de bois avait scellé leur amitié.

Le dernier trésor, le très beau, celui qui la fait le plus rêver : un porte-monnaie de nacre rehaussé d'une guirlande d'argent. Sa grand-mère — la mère de papa — le lui a donné un unique jour de générosité. « Il te revient. C'est le legs d'une arrière-grand-tante. Même moi je ne l'ai pas connue. Le jour de ses vingt ans elle a été emportée par la phtisie galopante... » Agnès-petite avait vu une blanche jeune fille, montée sur un cheval au galop, qui l'emportait si loin que jamais elle n'était revenue.

Tout ce pillage de l'enfance, elle l'a disposé devant elle.

Un par un, avec tendresse, elle les caresse avant de les replacer dans leur cache.

Mais la page est restée ouverte, sur laquelle elle avait précautionneusement posé ces gages de l'autrefois.

— ... *retour vers l'enfance... pourquoi pas ?*
Souviens-toi, quand on allait chez nos grands-
parents... nos parties de pêche dans la Sorgue...

C'était mon oncle qui parlait. Il nous avait
honorés de sa visite. Je crois que je l'aime encore
moins que ses parents. Ceux de mon papa. Lui, il
s'est mis à rire. J'avais oublié que papa pouvait
rire, et de si bon cœur.

— *Ah oui, tu peux en parler des parties de*
pêche... Le jour où je t'ai surpris donnant à un
gosse, pas plus grand que toi, l'argent de ta
semaine contre le poisson que lui avait réellement
péché ! Bredouille, tu étais...

L'oncle a fait son visage pas content... oh ! mais
alors pas du tout ! Vexé, comme il avait dû l'être
ce jour-là, découvert par papa.

— *Tu voulais m'épater parce que j'étais meil-*
leur pêcheur que toi. J'ai été chic. Quand tu as
donné « ta » pêche aux grands-parents, je n'ai rien
dit pendant qu'ils te complimentaient. Je n'avais
qu'un petit ventre blanc, un bâtard de poisson
sûrement, car je n'en avais jamais vu d'aussi
minable... tandis que toi !

Oh là là ! Rien qu'à voir le regard mauvais qu'il
m'a jeté — moi aussi je riais — il ne reviendra
pas de longtemps, le mononcle.

Eh bien, si j'arrive à... vingt-neuf ans — pas
plus, après on est un vieux —, je ne me plongerai

sûrement pas dans mes souvenirs d'enfance. Je les
éviterai plutôt !

Est-ce que ses trésors sont des souvenirs de
son enfance ? D'une enfance si différente de
celle d'aujourd'hui qu'elle ne peut même plus se
la rappeler ? De toute façon, ils sont enfermés
maintenant dans leur tombe cachée, que personne ne trouvera. Elle seule connaît le ressort
qui permet d'y accéder.

Le silence du grand appartement, soudain
devient insupportable à Agnès. Un silence
comme le vide de la mort.

Vivement elle met en marche la petite radio,
offerte il y a si longtemps — trois ans au moins —
par son père.

« On dément maintenant que le tombeau découvert à Alexandrie soit celui d'Alexandre le Grand,
mort 362 ans avant Jésus-Christ. »

Du même geste agacé qu'elle avait eu pour lui
donner la parole, Agnès fait taire le speaker.

Ce matin ils avaient affirmé que c'était bien son
tombeau. Même l'égyptologue de service l'avait
assuré.

Peut-être que dans 2362 ans, quelqu'un trouvera le tiroir aux secrets... Est-ce que le bois peut
se conserver aussi longtemps ? Des archéologues

chercheront la signification des objets cachés, ils penseront à des choses bêtes : les jouets d'un enfant mort dans un temps très lointain où... où... Non. Dans tant de siècles, le bois aura été rongé par les vers et il n'en restera rien.

Les lignes se brouillent, qu'elle lit sans les voir ; ses idées se mêlent, confuses et nettes comme lorsqu'on va s'endormir. Va-t-elle s'endormir là, lasse, au milieu des souvenirs épars ?

D'un bond, elle se lève. Il y a encore un peu de clarté derrière la fenêtre ; plus pour longtemps. Il lui faut accomplir son voyage initiatique avant d'allumer. Revisiter ces endroits si connus, y retrouver les souvenirs des solitudes précédentes. C'est en eux que se trouve la solution du problème. Elle n'en voit les beautés que lorsqu'elle s'y promène, seule, qu'elle laisse son regard s'attarder sur les « sauvages » qui l'accueillent à la porte du salon. Ils sont très vieux, bien plus même que les grands-parents ; nés de la main d'un sculpteur, ils sont « époque Louis XIV, authentiques », a dit l'Antiquaire. Depuis qu'elle a pu voir, distinguer les objets, Agnès les connaît. Peut-être même avant, sans qu'elle s'en souvienne : quand elle était encore dans le ventre de maman, par ses yeux à elle, par ses mains qui les touchaient délicatement, comme s'ils avaient été de chair et non de bois.

Ce couple qui, de ses piques, protège la pièce, et de ses mains vous invite à y pénétrer, il y eut un temps où Agnès était plus petite qu'eux deux, un temps où ils avaient tous les trois la même taille, et puis le temps d'aujourd'hui où elle peut poser, où elle pose, sa joue sur la pointe de leurs sagaies. Par eux, elle a su qu'elle grandissait. Quand elle partira, elle aimerait les emmener avec elle, mais ce n'est pas possible. Caresse leurs joues, leur transmettant sa chaleur humaine. Pour elle, jamais ils n'ont croisé leurs lances afin de l'empêcher d'entrer dans l'enceinte qu'ils gardent. Ils sont noirs et d'or, avec, pour seule couleur, le rouge de leurs bottes et dans le coin de l'œil un point de blanc.

Elle passe, princesse entre ses guerriers qui l'aiment et qu'elle aime.

Les petits seins ronds de la femme, et lui son air farouche.

Et puis voici, presque autant affectionné, le grand cheval d'un très ancien manège de chevaux de bois. Quel ancêtre le faisait tourner, pour la joie et les rires des enfants ? mémé voulait le jeter. Maman s'en est emparée, Agnès grimpée dessus. Pouvait-on lui supprimer sa haquenée ? « Non », a dit mémé, attendrie ; « prends-la, cette vieillerie, puisqu'elle plaît à la petiote ! »

Encore maintenant Agnès aime à s'asseoir sur la selle, et, ce soir, sans fin, de ses songes, écuyère du néant, elle s'y assied comme lorsqu'elle était petite fille ; et comme toutes les petites filles se cramponne à sa crinière de bois.

De là, elle peut considérer objet par objet, meuble par meuble, ce qu'elle quittera :

La table de tante Ninette, les bois dorés de Madrid. (Maman et papa les avaient rapportés d'un voyage en Espagne, je n'étais pas encore née. Chaque fois qu'ils les regardent, non, chaque fois qu'ils les regardaient, ils échangeaient un sourire complice. C'est peut-être à Madrid qu'ils m'ont faite ?)

Toutes les choses ici ont un nom, et on les appelle par leur nom, comme si elles étaient vivantes. De toute façon ce sont des amies. Dans ma chambre c'est le secrétaire, le lit, l'armoire, d'Agnès. On continuera à les appeler ainsi quand je serai morte ? Oui. Tante Ninette, je ne l'ai jamais vue, mais je la connais bien : c'est une vieille dame-table ! Difficile à expliquer. « Ce qui se conçoit bien s'énonce etc. » Faux, Mademoiselle ; je comprends très bien dans ma tête, même si je ne sais pas l'énoncer clairement.

Et la grande table devant le mur, c'est « la table de maman ».

Elle est si grande que seules les nappes d'autrefois, legs de quelque aïeule, la recouvrent en
entier ; nappes aux merveilleuses broderies ou
rehaussées de fastueuses dentelles. Mireille ne les
sort, toutes parfumées de lavande, que pour les
« dîners ». Quand ils sont seulement tous les trois
elle met des sets qui font ressortir, soyeux, le bois
qu'elle cire avec amour : « Regarde, Agnès, comme
elle brille ! » Sa voix résonne de plaisir et de
contentement.

*« Très rare. Louis XIII ou début Louis XIV... avec
ces meubles de province on ne sait jamais très
bien. Nos anciens ne suivaient pas obligatoi-
rement la mode du jour — celle de la Cour —
mais authentique (Fou ce que les antiquaires
aiment ce mot-là, c'est comme s'ils mangeaient
un bonbon !) En hêtre blond, rarissime. On
employait peu les bois clairs au XVIIᵉ. Une table de
chasse probablement. Elle fait bien... (Il l'a par-
courue des yeux ; un vrai mètre, ses yeux, il a dit
la longueur exacte : j'ai été la mesurer après son
départ)... deux mètres vingt. »
C'est un ami de papa, le Grand Antiquaire ; il
en était malade de jalousie : ce qu'il aurait voulu
l'avoir ! Maman, elle, était rose de plaisir, et papa
tout fier. Il a dit : « C'est ma femme qui l'a achetée à*

Marseille ; elle adore faire les salles de vente. » Et l'antiquaire : « Mes compliments, vous vous y connaissez ! Si j'avais su... elle ne m'aurait pas échappé. »

Oui, seulement maître Yvon, le commissaire-priseur, c'est pas lui qu'il avait prévenu... la la la !

On l'avait livrée quelques jours auparavant. Papa avait passé son bras autour des épaules de maman : « Tu as très bien fait, ma chérie. Une splendeur ! Tu as un goût... c'est d'autant plus extraordinaire, étant donné le milieu dont tu sors. »

Le sourire de maman s'était figé. Plus tard j'ai compris le compliment empoisonné ; je ne crois pas que papa, alors, l'ait dit méchamment. C'est encore pire !

Comme pour les Giotto... mais, là, il savait ce qu'il faisait.

On était allés tous les trois à Venise. Papa, lui, connaissait, il adore ; moi aussi, maintenant ! c'est comme une ville surgie des eaux. Maman, pour elle aussi c'était la première fois, et je voyais bien qu'elle était émerveillée et heureuse, heureuse... et papa, lui, était heureux de son bonheur. Il l'aimait encore.

— Il faut qu'on aille à Padoue, voir les Giotto...

Agnès-amazone s'est laissée glisser de sa monture. Elle revisite sa maison comme son père était retourné voir des peintures qu'il avait vues dix fois ; pour son plaisir. Cette joie des retrouvailles avec ce qu'on aime.

« La cappella degli Scrovegni. » Je fredonnais le nom de la chapelle aux Giotto, tout au long de ma visite de Padoue. — Padova, j'aime mieux. — C'était mon premier voyage, je veux dire, pas en France. Je regardais tout : du marché ancien à la maison de Dante. Il aurait fallu que j'aie dix têtes et vingt yeux !

Et alors, quand on est entrés dans la chapelle et que j'ai vu... une vraie B.D. !

L'âne de la Vierge, on aurait dit un bourricot de chez nous et il y avait des chevaux qui ressemblaient à mon cheval d'ici. Oh ! la lionne avec ses petits... ils étaient trop mignons. Et puis l'enfer... il m'a fait peur. Je m'en souviens mal.

Depuis j'ai appris qui était Giotto, mais je n'avais pas besoin de savoir que c'était le plus grand peintre du Moyen Âge. Je l'avais aimé avant. S'il y a tant d'animaux dans ses fresques, même des petits moutons, c'est peut-être à cause de saint François d'Assise... enfin, ça, c'est une idée à moi.

Mais je voyais bien que maman, elle, pensait à

129

*autre chose. Papa s'était fait une fête, sûr ! de lui
montrer ses Giotto chéris, et il était déçu qu'elle ne
s'y intéresse pas ; ça aussi je le voyais, et j'ai eu un
peu de peine pour lui. Il l'a prise par le bras :
« Regarde ! Tu ne trouves pas ça magnifique ? »*

*Elle lui a souri. Jamais je n'oublierai ce sourire
de maman. Un sourire comme je ne lui en avais
jamais vu. Il était pour papa. Et c'est à lui qu'elle a
dit, mais j'ai entendu : « Je préfère notre promenade en gondole, hier soir. »*

*Ils étaient partis tous les deux, après dîner. Moi,
je m'étais couchée, trop fatiguée ; on avait marché
toute la journée.*

*Papa a lâché le bras de maman, s'est reculé, l'a
regardée... son regard ! Tout le contraire du sourire de maman. C'est pour ça que c'est resté en
moi, ce sourire et ce regard.*

— Décidément, ma mère avait raison.

*Pourquoi ma mère-grand (tiens ! ça lui va
bien) avait raison ? Maintenant je m'en doute.
Heureusement, je ne crois pas que ma maman à
moi ait entendu.*

*Il est allé un peu plus loin, il marmonnait des
mots « roman-photo... Évidemment, Giotto...
comment ai-je pu... ».*

*J'étais près de lui et — je dirais aujourd'hui, il
s'est ressaisi — il m'a dit : « Tu veux que je t'explique ces fresques ? »*

Après, à Venise, il n'était plus fâché ; tous les deux se tenaient par la main et il n'était pas question de Giotto ni de mère-grand.

Sur le moment je n'ai rien compris, rien ne m'a frappé (oui, « frappé » comme une gifle que papa aurait envoyée à maman). Pourtant j'avais tout impressionné puisque cela me revient. Net. Comme l'explication d'un problème que je commencerais seulement à comprendre.

Comprendre. Il y a une sorte d'instinct — ces vieux gènes — en Agnès, qui lui fait comprendre un peu son père. Non l'excuser.

Pourquoi cette journée la revit-elle aujourd'hui ? Ah oui, à cause de la table de maman... elle n'aime peut-être pas la peinture, c'est son droit, mais elle aime les beaux meubles !

Venise a chassé Ici.

Agnès erre maintenant dans l'appartement, sans plus rien regarder. Il est temps de clore sa visite, de retourner chez elle, dans sa chambre.

10

Quand j'étais petite, je croyais que l'amour des parents ça durait toute leur vie. Je ne pouvais pas imaginer qu'ils se séparent. Et moi alors ?

Depuis, j'ai appris.

Et c'était devenu ma terreur — même quand ils s'entendaient bien, j'y pensais. Vivre avec maman seulement, ou papa... impossible, il me fallait les deux. Pourtant, à Jeanne de France, il y a des élèves dont les parents sont divorcés. Normal : il y en aurait moitié moins sinon ! Le plus drôle c'est qu'on forme deux clans, les enfants de divorcés et les autres : du vrai racisme !

Et puis, j'ai compris : quand papa a commencé à faire des scènes ! À la télé ils font un plat des

« droits de l'enfant », leur dernier truc ! C'est beau de nous donner des droits ! le premier, ce serait peut-être d'exiger des parents qu'ils ne se disputent pas devant nous. Facile, hein ! On leur ferait quoi, s'ils désobéissaient, On les mettrait en prison ? Au moins ce serait drôle ! Les « grandes personnes » faudrait qu'elles raisonnent en « enfant »… c'est pas demain. Et pourtant, elles ont été des enfants. Alors, elles l'ont oublié ?

Puis, quand papa a commencé — j'étais déjà grande — je me suis d'abord demandé pourquoi il avait changé. Bien sûr, mère-grand y est pour quelque chose. Elle n'a jamais aimé maman. Sûr ! Elle aurait voulu une belle-fille dans son genre ! Alors, un jour que papa aura dit quelque chose comme « je ne suis pas d'accord avec ma femme… », c'était sans importance, mais sa mère a sauté dessus. Je la vois d'ici. Chaque fois que je vais chez elle, heureusement ce n'est pas souvent, il faut qu'elle dise du mal de quelqu'un, même si c'est sa meilleure amie. Oh ! à voix couverte, sous des mots qui ont l'air tout le contraire… je ne sais pas comment elle fait.

Peut-être aussi, je l'ai déjà écrit, papa a — nous, on dit une « copine »… mémé, elle, dit une « bonne amie ». Ça doit être démodé, « peuple » dirait le pater ! — En tout cas, s'il a une « bonne » amie, « bonne » elle ne l'est sûrement pas pour maman.

Mais je continue à ne pas y croire. À Aix tout se sait, et nous, « les enfants », on a des oreilles d'éléphant.

Non... je pense que papa n'aime plus maman, mais qu'il en a été très amoureux. C'est tout. Ce (tout), j'ai envie de l'enfermer dans un cercle parce qu'il est complet à lui seul.

Bon, ce que je pense ou rien... Trop fort pour moi ! Peut-être, si j'avais deux ou trois ans de plus, je comprendrais mieux. Pour l'instant, il y a quelque chose qui m'échappe. Si ce n'était pas un vrai amour, pourquoi se sont-ils mariés ? Ah ! oui : MOI ! Il l'a dit, « par devoir ». Je suis le devoir de papa. Je l'avais oublié.

Ouais... alors pourquoi les disputes depuis seulement deux, trois ans ? Parce qu'il a vieilli ? Jeune, il raisonnait d'une manière ; vieux d'une autre ?

J'ai vu le changement.

Bien fait de tenir mon journal. Les choses s'échappent si on veut les garder en soi. Et puis elles sont l'une ici, l'autre là... Écrites, c'est comme un roman où les épisodes mènent à la fin.

Si c'était un roman, je le commencerai par la rencontre de maman et de papa. Je sais bien, petits bouts racontés par-ci, par-là, comment ça s'est passé.

Je le vois — plutôt en images qu'écrit — : un

135

jeune étudiant, il est six heures du soir, pas encore l'heure de « l'apéro », qui s'est « égaré » dans la ville basse, il a soif, c'est le début de l'été, il fait chaud. Il entre, « se fourvoie » (mot exact de papa), dans un bistrot pour ouvriers. Il n'y a personne. Il demande un demi et une jeune fille le sert. Oh oui! je les vois : papa debout devant le comptoir, il est pressé. Un étudiant en droit ne va pas s'asseoir dans un endroit pareil... Pour lui comme pour ses copains, c'est les Deux Garçons, le rendez-vous de tous les jeunes « bien ». Il lève machinalement la tête vers celle qui pose le verre devant lui et il est ébloui. Un vrai conte de fées... mais le prince est un futur avocat, on est au XXᵉ siècle, et la bergère est une fille de comptoir. Il ne l'invite pas au bal que donne le roi son père mais au cinéma. La « fille de la bistrotière » lui sourit gentiment et refuse tout net de sortir avec ce client inconnu. Oh ! que je les vois bien tous les deux.

Papa n'en revient pas que cette « fille » l'ait envoyé se promener tout seul.

Mais il n'arrive pas à l'oublier. Le coup de foudre, ça arrive à toutes les époques. Alors il revient. Pas seul ; par vanité, il veut montrer sa « conquête » à son meilleur ami (mon parrain d'Amérique). Lui aussi tombe en extase devant... ce n'est pas encore maman ! Si ça se trouve, les deux parient à qui sortira le premier avec elle !

136

J'ai treize ans et je vais me tuer

Pour eux, qu'est-ce qu'elle est ? Une jolie fille dont tous les deux ont envie. L'épouser les ferait mourir de rire ! Encore que parrain...

Seulement, voilà. Maman, elle, est vraiment tombée amoureuse de papa et elle accepte de se faire un ciné avec lui.

Combien de fois je les ai entendus raconter cette — leur — première sortie... bien arrangée à l'eau de rose pour mes oreilles d'enfant, et puis aussi pour leurs souvenirs. Mais la vérité, c'est celle que je viens d'écrire.

Et puis ils sont ressortis, souvent, mais il fallait que maman soit rentrée à dix heures du soir. Mémé ne plaisante pas sur la vertu ! (Un mot démodé aussi, mais c'est celui qu'elle emploie dans son langage «peuple».)

Et un soir...

Eh bien, le restant de l'histoire c'est moi en train d'écrire.

Papa, jeune, sa vie c'était maman. Il lui avait « tout sacrifié ». Mais, vieux, c'est redevenu Sa Situation, Sa place d'Avocat. Un mariage « en dessous de sa condition » (mère-grand) l'empêche-t-il de devenir bâtonnier ?

Je crois que j'ai trouvé la vérité : on change de peau comme les serpents : À cinq ans je n'étais pas Moi, aujourd'hui.

Pourtant, il y a des choses qui ne devraient pas

137

*changer : la Grande Jo, je l'aime bien, pour toute
ma vie. Sinon, à quoi ça servirait ?*

*Bon. Mettons qu'ils divorcent. Papa m'emmène
avec lui... il l'a juré. Il est avocat, alors ! Alors je ne
veux pas ! Il ne divorcera d'ailleurs pas, il l'a dit,
un soir : « Tout le monde (son monde !) ricanerait
en disant : c'était à prévoir... je l'avais bien dit ! Je
me couvrirai de ridicule, ce serait encore pire. »
Peut-être une excuse ; au fond de lui-même nous
aime-t-il encore un peu ? Je crois qu'il n'est si
méchant que parce qu'il en veut à maman de
n'être plus amoureux d'elle. C'est la seule explication. Elle est peut-être idiote, mais c'est la mienne.*

*Il était huit heures. Maman a dit à Mireille :
« André (elle dit « monsieur » quand papa est là, et
elle ne la tutoie pas, évidemment. Quel cirque !),
André ne rentrera sûrement pas dîner. Pars si tu
as mangé. Agnès et moi, on va en faire autant. »
Assises, l'une en face de l'autre, nous regardions
vaguement la télé ; les informations venaient de se
terminer et nous en étions au dessert — enfin,
moi, parce que maman... — quand la porte s'est
ouverte brutalement. Oh là là ! On aurait dit un
grand vent qui va tout casser. Papa est entré. Il a
éclaté d'un rire sarcastique, non, j'aime mieux
« satanique », il avait tout du diable.*

— Je vois que l'on se passe très bien de ma pré-

138

sence, ICI. (Il a appuyé sur le mot comme si c'était un endroit où nous n'avions pas le droit d'être sans lui.) Au moins y aura-t-il quelques restes à m'offrir ?

C'est horrible. Jamais je n'oserai le dire à personne, mais je suis sûre que le whisky, il n'y avait pas eu que la double dose.

Maman s'est levée, sans un mot, pour aller à la cuisine. J'avais envie de la suivre, tellement j'avais peur — pas vraiment de papa, je ne sais pas de quoi, mais j'aurais hurlé ! c'était comme si quelque chose de terrible se dégageait de lui. Je n'ai pas eu le temps. Papa avait pris maman par le poignet, il le tordait, et moi je n'aurais même plus pu bouger, j'étais paniquée. J'ai crié — peut-être j'ai cru crier, et c'était seulement dans ma tête —, il n'écoutait rien : pas même maman qui disait : « Laisse-moi, je vais à la cuisine faire réchauffer ton dîner. »

— Parce que ta Mireille est partie sans attendre que je rentre ! Décidément, je suis de trop CHEZ MOI.

ICI c'était devenu CHEZ MOI.

Il fulminait, papa. Je trouve que c'est maman qui aurait dû être furieuse. Elle est quoi « ici » ? La gouvernante qui doit surveiller la bonne, pour que les chemises de « Monsieur » soient bien lavées et repassées ?

*J'étais tellement en colère, et en peine, contre lui,
que du coup je me suis levée.*

*— Papa, ça suffit les disputes. Je n'en peux plus.
C'est trop... trop méchant !*

*— Bien élevée, la gamine ! Et où a-t-elle appris
à parler ainsi à son père ?*

*Tout était grotesque et affreux. La « gamine »...
oh ! ce qu'il avait mis dans ce mot ! Comme s'il me
reniait...*

*Et puis subitement, il a lâché maman, en même
temps il l'a repoussée. Comment elle n'est pas
tombée... non, c'est lui qui a trébuché. Bien
fait !*

*Il s'est heurté la tête contre le mur... oh ! je suis
certaine qu'il l'a fait exprès pour... pour nous
effrayer... Pour rendre plus dramatique tout ça.*

Et ma pauvre maman a dit :

— André, tu ne t'es pas fait mal ?

Quelle conne !

*Pardon maman, pardon... mais c'est vrai. Tu
ne voyais pas que*

Très vite elle a arraché la feuille. Déchire les
mots écrits il y a à peine quelques jours. Miettes.

Agnès parle à mi-voix. Parle à quelqu'un qui est
et qui n'est pas elle.

— Non, il ne faut pas qu'elle lise...

J'ai treize ans et je vais me tuer

Son père aimé autant que sa mère, qui ne faisait qu'un avec elle — un seul mot pour les deux « parents » —, peu à peu s'est détaché d'elle, Agnès. Et non pas le contraire, car elle avait beau voir que ce père du jour n'était pas celui de la veille, il restait quand même mon papa.

Je supportais de moins en moins ses scènes — une vraie comédie ! —, qu'il parle à maman comme il le fait... mais un mot gentil, un seul mot, et maman et moi le prenions avec gratitude. Comme un cadeau inespéré, oui, on en était arrivées là ; à le remercier de faire cesser pour une heure, un soir, cette atmosphère de crainte. Moi, en tout cas... maman ? Je crois qu'elle est morte au fond d'elle-même.

Vrai ! À partir de ce soir-là, je n'ai plus aimé mon père. Pire : je l'ai haï. C'est cette haine qui m'avait fait écrire... fait traiter maman de conne. Parce que j'aurais tellement voulu qu'elle se rebiffe, qu'elle hurle, qu'elle le frappe.

À treize ans, on ne peut pas vivre de haine et de pitié ? Peut-être un adulte qui les cristalliserait, tapi à l'intérieur de cette cellule démoniaque où il cultiverait son ego. Pas une enfant. Agnès est trop

141

jeune pour vivre sur elle-même, se nourrissant d'elle-même.

Et c'est à partir de ce jour-là que s'est élevée en elle cette envie grandissante ; mais ce n'était qu'un appel. L'acte, envisagé dans son inconscience, n'était encore qu'une bouteille lancée à la mer.

De l'envie de l'acte à l'acte lui-même, devenu conscient, il se sera passé huit jours. Pas plus.

Sa main tourne les pages, fébrile ; ses yeux trouvent des mots, s'y attachent un millième de seconde, avant de passer à d'autres : *Il y a une semaine que j'ai cessé d'aimer papa et que je n'ai plus supporté ce qu'endure maman.*

Elle abandonne le journal-témoin, cherche désespérément quelque chose à quoi se raccrocher.

IMPOSSIBLE !

Le mot a éclaté dans la pièce. Une pièce vide où, seuls, il y a un enfant et un cahier.

11

Les pages qu'elle relit à présent — pour bien s'assurer de leur véracité ? — Agnès les a écrites hier soir.

Les dernières du cahier. Celles qui vont transformer l'appel au secours en réalité.

Quand je suis arrivée ça battait son plein. Dommage, il n'y avait que moi comme spectateur et j'avais manqué le début... mais je le connaissais. Si souvent je l'avais entendu que je le savais par cœur. Et la mise en scène, donc : du vrai cinéma ! Papa était au milieu du salon. Le Justicier... il ne lui manquait que le chapeau de cow-

boy ! et maman... je ne veux pas me rappeler maman, c'est trop triste.

— *... Henri (mon parrain d'Amérique) a été plus sage que moi. Tout ce qu'il voulait, c'était coucher avec toi.*

Papa s'est tourné vers moi. Une seconde, je me suis trouvée sur la scène, dans le rôle de la confidente.

— *Oui, avec ta mère !*

Déjà, il m'avait oubliée. J'étais redevenue spectateur. Maman seule aurait pu, dû, lui donner la réplique.

— *On avait parié tous les deux à qui te... (je ne peux pas écrire le mot, c'est trop honteux) le premier.*

Il s'est versé un grand verre de whisky qu'il a avalé d'un trait.

— *D'ailleurs, rien ne prouve qu'il ne l'ait pas fait, que je n'ai pas endossé la paternité d'un autre et que Ta fille ne soit...*

— *... bâtarde... comme le bâtard de poisson que tu avais pêché !*

C'était bien ma voix que j'entendais. D'où me venait cette phrase ? Ah ! oui, le mononcle. Mais ma voix avait pris la place de celle de maman... j'étais elle et moi en même temps. Je pensais double.

Moi-spectateur : Tiens, je ne m'étais pas trom-

pée, quand je les imaginais faisant tous deux la cour à maman.

Moi-acteur (remplaçant maman, comme si elle ne savait pas son texte ; qu'elle avait un « trou »).

Maman, elle était appuyée sur le mur. Heureusement, car sans cela elle serait tombée. Et c'était ma-sa voix qui criait :

— Comment oses-tu dire cela ?

Et puis j'ai porté la main à ma joue qui me brûlait : il m'avait giflée ; c'était maman qu'il venait de gifler. Il m'a regardée, ébahi :

— Qu'est-ce que tu fais là ? Va dans ta chambre.

Je me suis placée devant maman, mais c'était pour la protéger, je n'étais plus elle. J'étais redevenue moi.

— Non. Je reste.

Je l'ai regardé, bien droit :

— Alors, pour toi je ne suis pas ta fille ?

Je suis bien sûre du contraire mais je voulais qu'il me le dise.

Il n'a pas répondu, tout embarrassé entre la vérité et ce qu'il inventait. Et puis...

— Le portrait craché de sa grand-mère !... Tu lui ressembles totalement : des grands mots et sa vulgarité. Heureusement que tu n'es pas un garçon. Un garçon qui porterait MON NOM ! Ah oui, tu es bien la petite-fille d'une...

— ... *bistrotière. Je le sais, papa, tu l'as déjà dit. Alors...*

Les mots que je prononçais, je ne les avais pas en moi avant, mais à mesure qu'ils sortaient de ma bouche ils devenaient vrais.

— ... *je vais me tuer, papa, comme cela tu n'auras plus honte de moi.*

Il a éclaté d'un rire...

— *Les menaces, maintenant ! Il faut être une femme, une vraie (le regard de dédain qu'il a jeté sur maman... je suis certaine qu'à ce moment-là il aurait voulu que ce soit elle qui se tue), pour se suicider ! Et toi, tu es quoi ? Une petite fille... du peuple ! Tu n'es pas capable de te tuer.*

Je ne lui ai pas répondu. Je n'en avais pas envie. Je lui ai « obéi ». Je suis allée dans ma chambre où j'écris.

Mais je savais, depuis le moment où je la lui avais faite — il y avait quelques minutes —, que je tiendrais ma promesse.

En fait, il doit y avoir longtemps que j'ai ça en moi. Ce désir.

Il y a chez tout humain, un instant — cinq minutes, cinq heures, cinq mois... — où il se détache de la vie. Où il réalise, à tort ou à raison, qu'elle n'existe pas plus qu'une image sur un écran. Visible mais destructible ; sans que cela ait d'autre importance que l'image fugace.

Où le geste que l'on vient de commencer peut rester inachevé, le morceau que l'on porte à sa bouche ne jamais y arriver, le bonheur cesser, sans pour autant devenir malheur, ce qui serait encore acte de vie. Où la vie devient rêve, où le rêve est vie.

Sinon, si l'on n'a pas eu ces quelques minutes, au moins, d'irréalité, qui sont sans doute le reflet émergeant d'une réalité profonde, c'est que l'on est une brute grossière et informe que le doigt de Dieu n'a jamais touché. No man's land entre l'être et le non-être.

Moment qui passe, s'évanouit, dont il ne reste qu'un vague souvenir. Le plus souvent du moins... pas toujours. Agnès, elle, était arrivée au point de non-retour. Toute sa vie était dans ses treize ans de vie. Elle était trop jeune pour penser Futur. Le futur est un endroit si loin pour un enfant qu'il lui semble ne jamais pouvoir l'atteindre. Un monde inconnu dont il ne se sent pas l'explorateur.

Et elle considérait sa vie, ces treize ans de vie, et n'avait pas envie de pousser plus loin sa quête. Sa vie tenait tout entière dans ses treize ans et le mot FIN n'en pouvait être que la mort.

Ce moment — Agnès devant son cahier d'écolière où elle avait consigné les problèmes de son présent devenu passé —, elle n'avait pas envie qu'il s'étire. Mais désir d'en sortir.

Elle n'aurait pas pu exprimer cette sensation avec des mots, mais c'était ainsi qu'elle le ressentait : un moment inanimé dans l'animation constante de la vie. Le moment où l'on peut disparaître sans que cela ait d'importance puisque la vie est « portée disparue ».

Elle avait quitté Aix. Aix n'existait plus. Elle pouvait de même se quitter. Il n'y avait en elle ni espoir ni désespoir. Rien.

Ces pages qu'elle vient de relire ont été écrites hier. Il n'en restait qu'une dans le cahier. Elle l'avait laissée blanche pour les mots de ce soir, ceux qu'elle a tracés en rentrant, pendant qu'elle était encore Agnès, resserrant son écriture pour que cette dernière soirée, les mots de cette dernière soirée, tiennent.

Le funambule j'étais lui. Entre le ciel et la terre, plus tout à fait vivante. J'étais heureuse... Il était hors de tout, là où rien ne pouvait l'atteindre. Moi, j'étais Lui. Il a fait un léger mouvement, un faux faux pas et je me suis sentie non pas tomber, plutôt comme si je nageais dans l'air.

J'ai treize ans et je vais me tuer

Mais il était toujours là, suspendu à son balancier, et moi je me suis retrouvée sur terre. Alors je l'ai quitté et je suis rentrée à la maison... « l'ancien Hôtel de Galicie ».

Elle barre ces mots, les remplace par :

Je vais être le funambule sur le fil qui relie la vie à la mort. Je marche sur le fil vers ma mort. Je ne tomberai pas.

Et puis elle barre tout. Elle n'habite plus l'hôtel de Galicie, puisque dans quelques minutes elle va le quitter définitivement.

Aubin Imprimeur
LIGUGÉ, POITIERS

Reproduit et achevé d'imprimer en avril 1998
N° d'édition 98055 / N° d'impression L 55698
Dépôt légal mai 1998
Imprimé en France

ISBN 2-73821-090-2
33-6090-6